D0263288

LES REMÈDES DE MA GRAND-MÈRE

Catalogage avant publication de Bibliothèque et Archives Canada

Chevrier, Yolande

Les remèdes de ma grand-mère
(Collection Santé naturelle)
ISBN 978-2-7640-1290-1
1. Médecine populaire. 2. Phytothérapie. I. Titre. II. Collection: Collection Santé naturelle (Éditions Quebecor).

RC81.V37 2008 615.8'8 C2008-940081-X

Une compagnie de Quebecor Media
7, chemin Bates
Montréal (Québec) Canada
H2V 4V7

Dépôt légal: 2008
Bibliothèque et Archives nationales du Québec

Pour en savoir davantage sur nos publications, visitez notre site: www.quebecoreditions.com

---

Éditeur: Jacques Simard
Conception de la couverture: Bernard Langlois
Illustration de la couverture: GettyImages
Conception graphique: Sandra Laforest
Infographie: Claude Bergeron

Imprimé au Canada

Gouvernement du Québec – Programme de crédit d'impôt pour l'édition de livres – Gestion SODEC.

L'Éditeur bénéficie du soutien de la Société de développement des entreprises culturelles du Québec pour son programme d'édition.

Nous reconnaissons l'aide financière du gouvernement du Canada par l'entremise du Programme d'aide au développement de l'industrie de l'édition (PADIÉ) pour nos activités d'édition.

DISTRIBUTEURS EXCLUSIFS:

- Pour le Canada et les États-Unis:
  MESSAGERIES ADP*
  2315, rue de la Province
  Longueuil, Québec J4G 1G4
  Tél.: (450) 640-1237
  Télécopieur: (450) 674-6237
  * une division du Groupe Sogides inc., filiale du Groupe Livre Quebecor Média inc.
- Pour la France et les autres pays:
  INTERFORUM editis
  Immeuble Paryseine, 3, Allée de la Seine
  94854 Ivry CEDEX
  Tél.: 33 (0) 4 49 59 11 56/91
  Télécopieur: 33 (0) 1 49 59 11 33

  Service commande France Métropolitaine
  Tél.: 33 (0) 2 38 32 71 00
  Télécopieur: 33 (0) 2 38 32 71 28
  Internet: www.interforum.fr

  Service commandes Export – DOM-TOM
  Télécopieur: 33 (0) 2 38 32 78 86
  Internet: www.interforum.fr
  Courriel: cdes-export@interforum.fr
- Pour la Suisse:
  INTERFORUM editis SUISSE
  Case postale 69 – CH 1701 Fribourg – Suisse
  Tél.: 41 (0) 26 460 80 60
  Télécopieur: 41 (0) 26 460 80 68
  Internet: www.interforumsuisse.ch
  Courriel: office@interforumsuisse.ch

  Distributeur: OLF S.A.
  ZI. 3, Corminboeuf
  Case postale 1061 – CH 1701 Fribourg – Suisse

  Commandes: Tél.: 41 (0) 26 467 53 33
  Télécopieur: 41 (0) 26 467 54 66
  Internet: www.olf.ch
  Courriel: information@olf.ch
- Pour la Belgique et le Luxembourg:
  INTERFORUM editis BENELUX S.A.
  Boulevard de l'Europe 117,
  B-1301 Wavre – Belgique
  Tél.: 32 (0) 10 42 03 20
  Télécopieur: 32 (0) 10 41 20 24
  Internet: www.interforum.be
  Courriel: info@interforum.be

LES REMÈDES DE MA GRAND-MÈRE

Yolande Chevrier

Cataplasme de carottes contre l'acné, gargarisme de miel, de poivre et de lait contre l'angine, pâte d'ail contre les ballonnements, compresses de jus de raisin contre les ecchymoses, oignons contre les ongles cassants, voilà quelques-uns des fameux remèdes de ma grand-mère pour vous soigner de façon naturelle, comme on le faisait autrefois. Vous trouverez aussi dans ce livre des explications plus détaillées et des petits trucs sur quelques maladies et maux. Car, entre nous, pourquoi risquer les effets secondaires de certains médicaments pharmaceutiques lorsque potions, compresses, cataplasmes, décoctions, plantes et aliments divers peuvent faire aussi bien, sinon mieux?

Quand vous ressentirez ces petits maux et malaises quotidiens, dites «bye-bye, médecin» et adoptez ces remèdes de la médecine populaire qui ont fait leurs preuves pendant des dizaines d'années et devant lesquels les médecins et autres scientifiques ne haussent plus si hautainement les épaules...

Abcès

- Appliquez une feuille de poireau cuite et tiède sur l'abcès. Renouvelez plusieurs fois par jour jusqu'à ce que l'abcès soit bien mûr.
- Faites mijoter, pendant 20 minutes, à feu très doux, 15 ml de graines de courge dans 125 ml de lait. Filtrez, laissez tiédir et appliquez en compresse sur l'abcès.
- Faites cuire une figue sèche dans un peu de lait pendant quelques minutes. Laissez tiédir, puis appliquez sur l'abcès. Répétez plusieurs fois par jour.
- Appliquez des rondelles de navet en cataplasme pour faire aboutir un abcès.
- Recouvrez la partie infectée d'un gros cataplasme d'argile, puis d'un mouchoir propre, enfin d'une bande pour le maintenir en place. Laissez au maximum deux heures (ou même moins si l'argile est sèche avant). Renouvelez autant de fois

que possible ; continuez encore quelques jours après la guérison.

Acné

L'acné, qu'on appelle aussi acné juvénile, touche principalement les adolescents, surtout les garçons. Cette maladie de la peau est causée par une activité anormalement élevée des glandes sébacées et se caractérise par l'apparition de points noirs et de lésions rougeâtres, souvent au grand désarroi des gens atteints. Les glandes sébacées des personnes à tendance acnéique produisent du sébum, une substance grasse, en excès. En trop grande quantité, le sébum bloque naturellement les pores de la peau, ce qui entraîne une multiplication des bactéries (du genre *Propionibacterium acnes*) dans les follicules pileux et de l'inflammation.

Apparaissent alors des lésions qui se concentrent principalement sur la peau du visage, mais qui se manifestent aussi chez certaines personnes sur le cuir chevelu, le cou, le dos, la poitrine et les avant-bras. L'acné est très fréquente chez les adolescents en Amérique du Nord : 75 % des jeunes garçons et 50 % des jeunes filles en sont affectés. Mais on peut aussi la voir chez l'adulte.

Voici quelques remèdes que privilégiaient nos grands-mères.

- Coupez, de préférence dans le sens de la longueur, une feuille d'aloès, puis extrayez-en le gel qui s'en dégage. Avec une boule de coton, appliquez la solution sur les zones affectées le matin au lever et le soir au coucher. Faites aussi une application lorsque vous vous rincez ou lavez le visage en cours de journée. Répétez le traitement chaque jour pendant au moins trois semaines, ou jusqu'à ce que l'acné soit disparue.

- Coupez une tomate en tranches, puis appliquez-les sur les régions les plus touchées. La tomate est riche en sels acides et elle est remplie de vitamines, ce qui a pour effet d'éliminer les quantités énormes de sébum produites – elle nettoie en outre votre peau !

- Mélangez le jus d'un citron et d'une tomate avec une petite quantité de glycérine. Agitez jusqu'à l'obtention d'une émulsion. Appliquez sur les boutons d'acné en massages circulaires après le bain, une fois par jour.

- Écrasez la pulpe de quelques prunes rouges bien mûres. Ajoutez 5 ml de poudre de soufre et un peu de jus de citron. Étendez sur les zones affectées en une couche épaisse, puis laissez agir pendant 15 minutes, avant de rincer à l'eau citronnée et de sécher. Appliquez deux fois par jour, matin et soir.

- Faites bouillir 250 ml d'eau ; jetez-y une poignée de feuilles de bette à carde et laissez mijoter pendant 10 minutes. Filtrez. Prenez ensuite les feuilles, un peu de l'eau et suffisamment d'argile verte pour amalgamer le tout. Appliquez comme un masque.

- Pour faire disparaître des boutons d'acné, des comédons ou autres désobligeantes pustules, frottez directement, sur la région affectée, une gousse d'ail tranchée en deux. Pour les boutons plus coriaces, faites tenir les demi-gousses à l'aide d'un diachylon et laissez agir plusieurs heures. Répétez jusqu'à ce que les encombrantes vésicules disparaissent.

- Versez 225 ml d'eau dans un pot muni d'un couvercle. Ajoutez ensuite 10 gouttes de propolis d'abeille (la propolis désigne toute une série de substances résineuses, gommeuses et balsamiques, de consistance visqueuse, recueillies sur certaines parties de végétaux par les abeilles, qui les rapportent à la ruche et qui les additionnent et les modifient en partie par l'apport de certaines de leurs sécrétions). Trempez une boule de coton dans cette solution, puis frottez les endroits infectés. Commencez le matin et faites de deux à trois applications au cours de la journée, ainsi que chaque fois que vous vous touchez le visage, et appliquez une dernière fois avant d'aller dormir. Répétez le traitement chaque jour pendant au moins trois semaines, ou jusqu'à ce que l'acné soit disparue.

- Une autre solution est l'huile d'olive. Bizarre de guérir l'acné avec un corps gras, direz-vous. Les voies cosmétiques de l'huile d'olive ont été découvertes récemment. Les gras acides mono-insaturés et polyinsaturés font de l'huile d'olive un très bon remède à l'acné. Tamponnez les marques d'acné avec quelques gouttes d'huile. Répétez de deux à trois fois par jour.

- Ajoutez 15 g de poudre de soufre et 5 ml de jus de citron à la pulpe de deux prunes rouges bien mûres. Étendez une couche épaisse de cette mixture sur les zones affectées. Laissez agir une quinzaine de minutes, rincez à l'eau citronnée et séchez. Appliquez ce masque deux fois par jour.

- Pour contrer l'acné, chasser les points noirs, la couperose et venir à bout de toutes les imperfections de la peau, versez 125 ml de jus d'oignon dans 250 ml de vinaigre de cidre de pomme, et utilisez comme lotion pour le visage. Laissez toujours agir une vingtaine de minutes avant de rincer à l'eau tiède additionnée du jus d'un demi-citron.

- Un cataplasme de carottes râpées est un excellent reconstituant cutané. Ne pelez pas les carottes. Contentez-vous de les nettoyer avec une brosse. Appliquez le cataplasme sur le visage pour soigner non seulement une peau abîmée par l'acné, mais aussi les dermatoses ou l'impétigo. Laissez agir une vingtaine de minutes. Répétez tous les soirs jusqu'à ce que vous ayez retrouvé une peau saine.

- Bien qu'il soit difficile de faire disparaître les marques causées par l'acné, cette pommade que je vous suggère permet de régénérer la peau et fait en sorte qu'elle retrouvera son éclat. Dans un pot, déposez une poignée de mauve, puis couvrez avec de l'huile de germe de blé. Laissez macérer dans l'obscurité pendant une dizaine de jours. Filtrez alors la préparation et réservez. Au bain-marie, faites fondre 10 g de beurre de cacao et 10 g de cire vierge, puis ajoutez 25 g de pulpe d'aloès et 25 ml de la préparation précédente. Mélangez bien et laissez refroidir dans un pot. Appliquez deux fois par jour, matin et soir.

- Pour retrouver une peau saine et faire disparaître les marques laissées par l'acné (ou une dermatose), nettoyez deux ou trois carottes en les brossant – ne les pelez pas. Tranchez-les en morceaux et appliquez-les en cataplasme sur votre visage. Répétez tous les soirs jusqu'à ce que les cicatrices disparaissent.

Aigreurs [d'estomac]

- Faites bouillir 5 g de thym séché dans 1 litre d'eau pendant une vingtaine de minutes. Filtrez. Laissez refroidir. Buvez-en 1 tasse après chaque repas. Répétez jusqu'à ce que le problème soit disparu.

- Dès l'apparition de la douleur, buvez 200 ml de lait tiède. Répétez lorsque nécessaire.

- Diluez 5 g de fécule de maïs dans 200 ml d'eau tiède. Buvez d'un seul trait. Répétez lorsque nécessaire.

- Diluez 5 ml de vinaigre de pomme dans 125 ml d'eau. Buvez lentement pendant le repas. Répétez lorsque nécessaire.

- Jetez 5 g d'écorce d'orange et 5 g de réglisse dans 250 ml d'eau. Couvrez. Laissez mijoter une dizaine de minutes. Buvez-en une tasse après les repas. Répétez lorsque nécessaire.
- Aussitôt que vous ressentez des maux d'estomac, mangez un pamplemousse.

Allaitement

- Pour favoriser le bon déroulement de l'allaitement, mélangez 10 g de cumin, 10 g d'aneth, 40 g de mélisse, 80 g de fenouil et 80 g de verveine. Versez 15 g de ce mélange dans 250 ml d'eau bouillante. Laissez refroidir et buvez tous les matins.

Allergies

Le mot «allergie» sert à décrire plusieurs réactions qui peuvent se manifester en différentes régions du corps : sur la peau, aux yeux, dans le système digestif ou encore dans les voies respiratoires. Les types de symptômes et leur intensité vont varier selon l'endroit où l'allergie se déclare, et en fonction de plusieurs autres facteurs propres à chaque personne. Ils peuvent être très discrets, comme un léger rhume des foins, ou potentiellement mortels, comme le choc anaphylactique.

- Si vous souffrez d'allergies et que vos yeux sont irrités, ne les frottez pas ! Aspergez-les plutôt délicatement d'eau.
- Un des trucs les plus simples consiste à vous pulvériser de l'eau salée dans le nez : vos sinus se libéreront très vite et vous préviendrez même les sinusites.

- En période d'allergies, gardez-vous loin des odeurs fortes (la peinture fraîche, par exemple) et des irritants (la fumée secondaire, les insecticides, la pollution), car ils ne feront qu'aggraver vos malaises en irritant les muqueuses de vos yeux et de vos sinus.
- Une maison trop chauffée et humide est l'endroit rêvé pour toutes sortes de moisissures et de micro-organismes. En ce qui concerne le chauffage, tentez de le garder sous 21 °C et pensez à un déshumidificateur ou à un climatiseur pour atténuer ou éliminer les allergènes présents dans l'air.
- Pour contrer les sinusites, écrasez et réduisez un oignon et cinq radis dans un mortier jusqu'à l'obtention d'une pâte. Appliquez cette dernière sur une gaze, de façon à en faire une compresse ; appliquez-en une sur la nuque et une seconde sur la plante des pieds pendant environ une demi-heure. Répétez au besoin.

Allergies saisonnières

- Évitez de sortir pendant les journées ensoleillées de printemps et au début de l'été, car l'air est surchargé en pollen, ce qui vous vaudra des éternuements, les yeux rouges et beaucoup d'autres symptômes. Profitez plutôt du temps après la pluie, la concentration de pollen dans l'air étant alors moindre.
- Dormez les fenêtres fermées et procurez-vous un climatiseur. Ainsi, le pollen aura plus de difficulté à s'infiltrer dans votre chambre à l'aube, lorsqu'il s'élève dans l'air, et le climatiseur vous permettra de respirer avec plus d'aisance.
- À 1 litre d'eau chaude, ajoutez une goutte d'huile essentielle de lavande, une goutte d'huile essentielle d'eucalyptus et une goutte d'huile essentielle de camomille. Rapprochez

votre visage à quelques centimètres du contenant, couvrez-vous la tête d'une serviette et respirez profondément pendant environ cinq minutes – le gonflement de votre gorge s'atténuera et vos sinus se dégageront.

- Pour combattre le rhume des foins, mélangez bien 60 ml de vinaigre, 200 ml d'eau, quatre radis réduits en jus et un trait de jus de citron ; buvez-en quatre verres par jour pendant cinq jours.
- Pour soulager les démangeaisons dues aux allergies à l'herbe à poux, préparez-vous une compresse avec une solution faite d'eau et de bicarbonate de sodium – mettez juste assez d'eau pour que le bicarbonate prenne la consistance d'une pâte.

Ampoule

Une ampoule peut apparaître sur une ou des zones de frottement d'un pied dans une chaussure neuve, par exemple, ou à la suite de l'utilisation d'un outil tel qu'une pelle, une bêche, ou d'une raquette de tennis.

Les ampoules sont dues à une friction permanente de la peau qui entraîne un décollement des couches superficielles de l'épiderme ; entre la base accrochée à la partie profonde et cette peau décollée (peau morte), un liquide clair s'accumule. La pression du liquide entraîne une douleur sans aucune autre conséquence qu'un certain inconfort, sauf si la blessure s'infecte. Il n'y a pas de secrets pour guérir les ampoules, mais il existe quelques trucs pour éviter qu'elles apparaissent.

Soulagement

- Si l'ampoule est fermée, elle se distingue par un soulèvement de l'épiderme qui emprisonne encore une sorte de liquide transparent (la sérosité transparente). Il est très important de garder le «toit» de l'ampoule intact (donc, de ne pas couper la peau), car il s'agit d'une protection naturelle contre les microbes. Commencez alors par ponctionner le liquide avec une seringue stérile, puis, tout en laissant l'aiguille en place, remplacez le corps de la seringue par une autre remplie d'éosine aqueuse à 2 % (que vous trouverez en pharmacie), injectez le produit de sorte qu'il occupe la place du liquide précédent. Protégez ensuite l'ampoule avec une compresse et comprimez le tout à l'aide d'une bande adhésive élastique. Gardez le pansement pendant environ 48 heures.
- Si l'ampoule est ouverte, percée ou déchirée (une partie de la peau est manquante), vous devez alors couper la peau souillée (celle qui est décollée seulement) avec des ciseaux bouillis ou plongés dans l'alcool. Nettoyez ensuite la surface à nu avec un antiseptique : si la zone est petite, tamponnez quotidiennement la surface avec de l'éosine aqueuse à 2 % et renouvelez l'opération pendant plusieurs jours ; si la surface est plus étendue, désinfectez (voir ci-dessus) et protégez. Pour cela, il existe dans le commerce de nombreux pansements protecteurs.

Prévention

Ma grand-mère nous prodiguait ces trucs et ces conseils en guise de prévention.

- Lorsque vous achetez une paire de chaussures, choisissez-les en fin de journée, car votre pied est alors quelque peu enflé comme c'est le cas après une journée de marche.

- Lorsque vous achetez des chaussures destinées à la marche à pied, choisissez-les avec une taille ou deux de plus pour prévenir la prise de volume de votre pied après une journée de marche.
- Veillez à «casser» les chaussures avant de les utiliser. Les porter pendant une longue période le premier jour est le meilleur moyen de se faire des ampoules.
- Portez des bas adaptés, bien épais. Il y a quelques années, on conseillait systématiquement des bas en coton ou en laine, mais il est possible aujourd'hui de trouver des bas pour la randonnée pédestre. Sinon, au quotidien, préférez les bas en acrylique – ce sont eux qui assureront le frottement contre la chaussure plutôt que vos pieds.
- Protégez les zones exposées (orteils, talons, etc.) par un sparadrap hypoallergique ou un pansement «seconde peau», également appelé pansement colloïdal, qui protège tout en laissant respirer la peau.
- Mettez de la poudre ou du talc dans vos bas ou sur les mains pour éviter l'humidité et les frottements.
- Massez les zones vulnérables avec une pommade grasse avant l'effort.

Amygdalite

- Pour soulager et guérir une amygdalite, préparez une infusion avec 125 ml d'eau et 5 ml de sauge. Laissez infuser 15 minutes, filtrez et laissez tiédir. Utilisez en gargarisme plusieurs fois par jour.
- Gargarisez-vous plusieurs fois par jour avec de l'eau tiède, salée, à raison de 190 ml d'eau pour 5 ml de sel.

- Mélangez 60 ml d'eau tiède et 60 ml de jus de citron, ajoutez-y quatre gouttes d'huile essentielle de citron et gargarisez-vous plusieurs fois par jour.

Anémie

- Portez à ébullition 1 litre d'eau et 200 g de cresson déchiqueté. Couvrez, faites mijoter une vingtaine de minutes à feu doux et filtrez. Buvez-en une tasse au lever, à jeun, et une tasse en après-midi. Répétez le traitement au besoin.
- Dans un bol, déposez 10 g de racine de gingembre râpée, deux clous de girofle et une pincée de muscade ; ajoutez ensuite 500 ml d'eau bouillante. Laissez infuser une quinzaine de minutes et filtrez. Buvez-en de deux à trois tasses par jour. Répétez le traitement pendant une semaine.
- Pelez et hachez de cinq à sept gousses d'ail et ajoutez-les à 200 ml d'alcool à 40°. Placez dans un pot fermant hermétiquement et exposez-le pendant 14 jours au soleil. Filtrez et conservez dans un pot hermétique. Avalez une goutte le premier jour (en diluant dans de l'eau), puis ajoutez une goutte supplémentaire chaque jour, jusqu'à atteindre 14 gouttes par jour ; ensuite, continuez mais cette fois en diminuant d'une goutte par jour jusqu'à revenir à une goutte par jour.

Angine

- Appliquez sur la gorge trois épaisseurs de feuilles de chou lavées, essuyées, un peu écrasées au rouleau. Laissez agir toute la nuit. Recommencez l'opération deux soirs de suite. De plus, deux fois par jour, gargarisez-vous avec de l'eau et du gros sel.

- Faites bouillir une quinzaine de fleurs sèches de camomille dans 1 litre d'eau pendant une quinzaine de minutes. Laissez refroidir, salez légèrement au gros sel. Servez-vous de ce mélange pour vous gargariser de deux à trois fois par jour.
- Ajoutez 15 ml de miel liquide et 5 g de poivre à 250 ml de lait. Mélangez bien. Servez-vous de ce mélange pour vous gargariser de deux à trois fois par jour.

Angoisse [crise d']

- Pour mettre fin à une crise d'angoisse, allongez-vous par terre, relevez les jambes et appuyez les talons sur un mur. Fermez les yeux, respirez lentement et profondément en vous concentrant sur votre ventre qui se soulève à chaque expiration. Continuez jusqu'à ce que la crise soit passée.
- Pincez votre nez, prenez une grande respiration, retenez votre souffle et repoussez l'air doucement comme on le fait pour se déboucher les oreilles. Tenez une vingtaine de secondes, relâchez, attendez une dizaine de secondes et recommencez. La crise devrait rapidement se passer.

Arthrite et rhumatisme

Les problèmes d'arthrite ou de rhumatisme proviennent la plupart du temps d'une inflammation aiguë ou de problèmes des articulations qui sont à la base des infections bactériennes.

- Nos grands-mères recommandaient de boire un verre de jus d'ananas après le dîner et après le souper pour combattre les problèmes arthritiques ou rhumatismaux. Le jus frais est le meilleur, mais le jus en bouteille, sans additif ni agent de conservation, est aussi excellent. Ce remède semble aujourd'hui être confirmé par la science, puisque certains nutritionnistes estiment que l'enzyme de l'ananas, la bromélaïne, peut effectivement réduire l'inflammation dans certaines conditions arthritiques.

- Pour lutter contre les douleurs musculaires, l'arthrite, les rhumatismes et la goutte, buvez 125 ml de jus de céleri, trois fois par jour pendant trois semaines.

- Jetez 10 g d'estragon séché dans 250 ml d'eau bouillante. Laissez infuser une dizaine de minutes et filtrez. Buvez-en de deux à trois tasses par jour.

- Jetez 10 g de laurier séché dans 250 ml d'eau bouillante. Laissez infuser une dizaine de minutes et filtrez. Buvez-en de deux à trois tasses par jour.

- Jetez 10 g d'origan séché dans 250 ml d'eau bouillante. Laissez infuser une dizaine de minutes et filtrez. Buvez-en de deux à trois tasses par jour.

- Jetez une grosse poignée de fleurs sèches de camomille dans 250 ml d'huile d'olive et faites chauffer au bain-marie pendant 1 1/2 heure, avant de laisser tiédir et de filtrer. Réservez. Mélangez 15 ml de camphre et 45 ml d'alcool à 60°. Incorporez ensuite à l'infusion précédente. Massez les articulations douloureuses pendant 15 minutes, deux fois par jour.

- Faites macérer 20 g de fleurs de lavande dans 100 ml d'alcool à 30° pendant huit jours. Broyez pour bien extraire le suc, puis filtrez. Servez-vous de cette lotion pour faire des massages doux et profonds deux fois par jour pendant six jours.

- Réduisez en poudre 45 ml de graines de coriandre. Incorporez-les à une quantité d'argile verte suffisante pour faire un cataplasme. Amalgamez avec un peu d'eau, enveloppez dans un carré d'étamine et appliquez sur les douleurs arthritiques ou rhumatismales.

- Appliquez un cataplasme de feuilles d'épinard pour soulager les douleurs arthritiques et rhumatismales.

- Dans une casserole, au bain-marie, déposez 10 g de feuilles de romarin, 10 g de feuilles d'eucalyptus et 10 g de bourgeons de pin (soit environ une poignée de chaque ingrédient). Couvrez le tout avec de l'huile d'olive et laissez sur le feu pendant 30 minutes, en remuant de temps en temps et en prenant soin de ne pas porter à ébullition. Versez ensuite le tout dans un pot et laissez reposer pendant cinq jours. Après cette période, filtrez et versez dans un autre pot. Faites une autre préparation au bain-marie de 25 g de cire vierge et de 25 g de lanoline. Une fois que le tout est fondu, ajoutez 25 ml de la première préparation. Mélangez bien et versez dans un pot. Attendez que le mélange soit bien pâteux avant de l'appliquer sur la zone affectée.

- Voici un remède naturel de boue d'argile qui permet de combattre les douleurs reliées à l'arthrose. Mélangez 50 g de pulpe d'aloès avec 15 ml de miel et une infusion concentrée de romarin, puis conservez dans un pot fermé hermétiquement au réfrigérateur. Juste avant de vous en servir, chauffez-en une quantité suffisante dans une casserole. Laissez tiédir, puis versez dans un bol auquel vous ajouterez 15 ml d'argile verte (préparée juste avant l'application) en mélangeant bien jusqu'à l'obtention d'une pâte épaisse qui pourra être appliquée sur la zone affectée.

- Voici la recette d'un onguent merveilleux pour toutes les douleurs musculaires arthritiques et rhumatismales. Dans un pot de terre cuite, mettez un chou blanc découpé en morceaux, de l'argile verte et suffisamment d'eau pour détremper le tout. Faites cuire à feu très doux jusqu'à ce que le chou soit réduit en bouillie. Laissez refroidir et utilisez comme onguent de guérison.

- Pour calmer les douleurs arthritiques ou rhumatismales, jetez, dans l'eau du bain, quelques poignées de feuilles, de racines ou de tiges d'angélique.

- On rapporte que nos arrière-grands-parents et nos grands-parents gardaient toujours sur eux des marrons. Mythe ou réalité ? Ils étaient convaincus qu'en agissant ainsi leurs rhumatismes étaient moins violents.

- Le poisson, l'huile de foie de morue et leurs autres produits dérivés contenant des oméga-3, aliments riches en vitamines A et D, aident grandement à réduire les douleurs arthritiques ou rhumatismales.

- De façon générale, les personnes souffrant d'arthrite, de goutte, de rhumatismes, d'un excès d'azote dans le sang ou d'une autre des affections mentionnées précédemment auraient intérêt à consommer 250 ml de framboises, fraîches ou surgelées, par jour.

- Que de bonnes nouvelles ! Le sexe peut vous aider à éloigner vos douleurs arthritiques ou rhumatismales pendant au moins six heures ! Selon l'explication qu'on en donne aujourd'hui, les relations sexuelles augmenteraient la production de cortisone pour la relâcher ensuite.

Arthrose

- Mélangez 50 g de pulpe d'aloès à 15 ml de miel liquide et 60 ml d'infusion de romarin, et faites chauffer. Versez dans un bol et ajoutez un peu d'argile verte jusqu'à l'obtention d'une pâte épaisse (le mélange d'argile doit être fait juste avant l'application). Appliquez sur la zone affectée.

- Faites sécher une feuille de chou au four et appliquez-la sur la zone affectée, en la maintenant en place à l'aide d'une gaze. Répétez jusqu'à ce que la douleur ait disparu.
- Mélangez 50 ml d'huile d'olive et 50 ml de jus de citron, et faites chauffer à feu doux pendant cinq minutes. Laissez refroidir, puis massez les articulations douloureuses pendant une quinzaine de minutes. Gardez la zone au chaud en la recouvrant d'une écharpe de laine.

Asthme

L'asthme est l'une des maladies chroniques les plus répandues chez les enfants au Canada et pose également un grave problème chez les adultes. Selon de récentes données sur la santé de la population, on estime que près de 10 % des adultes et 14 % des enfants souffrent aujourd'hui de l'asthme. Il réduit la qualité de vie des personnes qui en sont atteintes et de leur famille.

On ignore la cause exacte de l'asthme, mais il semble que cette maladie résulte de l'interaction complexe de trois facteurs: des facteurs prédisposants (tels que l'atopie – tendance à avoir une réaction allergique à des substances étrangères); des facteurs étiologiques, qui peuvent contribuer à sensibiliser les voies aériennes (tels que les squames de chat ou d'autres squames animales, les acariens, les coquerelles ou les contaminants en milieu de travail); et, enfin, les facteurs contributifs, entre autres la fumée de cigarette durant la grossesse et pendant l'enfance, les infections respiratoires et la qualité de l'air intérieur et extérieur.

S'il fait froid à l'extérieur, portez, sur votre visage, un foulard lâche pour permettre à l'air de s'humidifier et de se réchauffer; respirez par le nez, ce qui peut aussi humidifier et réchauffer l'air.

Pour surmonter une crise d'asthme

- En cas d'urgence, en panne d'inhalateur, buvez deux tasses de café noir bien serré ou de chocolat chaud, sans sucre.
- Trempez vos mains dans une bassine d'eau froide. Si vous sentez que cette technique a de l'effet sur vous, laissez-les une quinzaine de minutes, cela devrait vous faire le plus grand bien.
- Faites macérer une gousse d'ail pendant sept jours dans 150 ml d'alcool à 90°. Pendant une crise assez forte, utilisez quelques gouttes de ce mélange sur un linge de coton trempé dans de l'eau très chaude, puis appliquez sur la poitrine.
- Jetez 4 g de thym dans 250 ml d'eau bouillante. Laissez infuser une dizaine de minutes et filtrez. Buvez-en de deux à trois tasses par jour à petites gorgées.
- Buvez quelques gorgées de jus de canneberge concentré.
- Aux premiers signes d'une crise d'asthme, épluchez et hachez finement une gousse d'ail, incorporez-la à 15 ml de miel naturel et avalez.

Pour prévenir une crise d'asthme

Buvez 30 ml de jus d'aloès après chaque repas – vous pouvez le préparer vous-même ou, plus facile aujourd'hui, l'acheter dans tout bon magasin d'aliments naturels.

Ballonnement

- Réduisez une gousse d'ail en pâte et consommez.
- Buvez un verre de vinaigre de cidre avec de la menthe, au goût, une fois par jour.
- Jetez 15 g d'aneth et 15 g de gingembre dans 250 ml d'eau bouillante. Laissez infuser une quinzaine de minutes et filtrez. Buvez-en une tasse après chaque repas. Répétez le traitement au besoin.
- Jetez 60 g de romarin frais ou séché dans 1 litre d'eau bouillante ; laissez infuser une quinzaine de minutes et filtrez. Buvez-en une tasse après chaque repas. Répétez le traitement au besoin.
- Après les repas, croquez quelques graines de cumin. Si le problème persiste malgré tout, croquez-en plusieurs fois par jour.

Blessure

- Pour soigner les diverses plaies cutanées, versez quelques gouttes de jus de citron pur sur la blessure ou l'écorchure, puis pansez.
- Les blessures ou coupures légères exigent rarement des points de suture, mais afin qu'elles cicatrisent plus rapidement, aussitôt après qu'elles ont été désinfectées, écrasez quelques feuilles de géranium et appliquez-les directement sur la blessure.

Bouffée de chaleur

- Pour réduire les bouffées de chaleur, voire les éliminer, jetez 20 g de sauge séchée dans 1 litre d'eau bouillante et buvez-en lentement de deux à trois tasses par jour.

Bouton

- Appliquez sur un bouton, à plusieurs reprises durant la journée, des compresses de jus de citron : le lendemain, rien n'y paraîtra plus.
- Pour faire rapidement disparaître un bouton, enduisez-le de pâte dentifrice de quatre à cinq fois par jour. Répétez le traitement pendant quelques jours ou jusqu'à sa disparition.

Bouton de fièvre

- Dès que vous sentez qu'un bouton de fièvre commence à apparaître, frottez la zone affectée avec une gousse d'ail épluchée. Répétez plusieurs fois par jour.
- Appliquez un sac de glace directement sur le bouton pendant une petite heure ; au bout de 24 à 48 heures, ce bouton aura disparu.
- Mélangez, en parts égales, du jus de citron et de l'eau et appliquez sur le bouton à l'aide d'un coton-tige.
- Prenez des fleurs de camomille séchées et hachées, et mélangez-les à suffisamment d'eau pour en faire une pâte onctueuse. Appliquez directement sur le bouton. Répétez autant de fois que nécessaire.
- Pour que les boutons de fièvre disparaissent, préparez une tisane avec 1 litre d'eau, une pincée de mélisse, une pincée de sauge et deux pincées de verveine. Faites bouillir une quinzaine de minutes et filtrez. Buvez-en toute la journée, froide ou chaude.

Bronchite

- Buvez 5 ml d'essence de menthe poivrée, diluée dans un verre d'eau. Répétez le traitement au besoin, mais jamais plus de trois fois par jour.
- Couchez-vous et placez un cataplasme de feuilles de chou sur votre poitrine. Répétez deux fois par jour.
- Frictionnez-vous la poitrine avec 50 ml d'huile d'olive mélangée à 15 ml de jus de citron. Répétez trois fois par jour.

- Remplissez un grand bol d'eau très chaude, penchez votre visage au-dessus en maintenant une serviette sur votre tête, de façon qu'elle couvre aussi le bol pour éviter que la chaleur se disperse. Respirez lentement et profondément (la vapeur) pendant une quinzaine de minutes. Répétez le traitement toutes les heures ou au besoin.

- Faites bouillir deux gros oignons dans 250 ml d'eau pendant une quinzaine de minutes, puis filtrez. Laissez tiédir, ajoutez du miel au goût et buvez-en une tasse trois fois par jour.

- Faites cuire des pommes de terre en robe des champs, puis écrasez-les bien chaudes sur du coton. Ajoutez un autre morceau de coton sur les légumes, puis appliquez sur la poitrine en prenant garde d'éviter les brûlures. Attendez deux heures, puis recommencez. Procédez ainsi de deux à trois fois dans la journée.

- Ajoutez de la farine de moutarde à un peu d'eau froide ou tiède jusqu'à l'obtention d'une pâte; enveloppez le mélange dans une serviette pour en faire un cataplasme, puis appliquez sur la poitrine une quinzaine de minutes. Répétez au besoin deux fois par jour.

Brûlure

Attention: n'appliquez jamais de corps gras sur une blessure.

Une brûlure est une destruction partielle ou entière de la peau, des tissus et même des os. La gravité de celle-ci est déterminée par sa profondeur (le degré), son étendue, l'endroit touché et la cause elle-même. Les brûlures ne sont pas des blessures «régulières», car elles ont des effets sur l'état psychologique de l'individu. Elles sont séparées en trois classes distinctes: les brûlures au premier degré, qui sont les plus communes, où il n'y a que l'épiderme qui est touché. À ce stade, la peau a encore sa capacité de régénération et les principaux symptômes sont une sensibilité accrue et l'apparition de rougeurs. Les brûlures au deuxième degré endommagent l'épiderme et le derme (les tissus); on y voit apparaître des cloques. La peau peut se régénérer d'elle-même si on prend soin d'éviter toute infection. Enfin, les brûlures au troisième degré sont naturellement les plus graves d'entre toutes, car elles détruisent la peau et les tissus. La peau prend alors une couleur brune, blanche ou noire. Les parties affectées deviennent complètement insensibles et sèches. La régénération du corps par elle-même est impossible, une greffe de peau étant alors nécessaire. Les trucs que nous vous suggérons concernent naturellement les brûlures au premier et au deuxième degré.

- Le remède par excellence pour soigner les brûlures est l'aloès. Cette plante n'est ni plus ni moins qu'un kit de premiers soins par excellence. Si vous avez une plante d'aloès et que vous vous brûlez, découpez le haut d'une des feuilles du bas et pressez-la pour en extraire le gel que vous étendrez sur la partie brûlée.

- Aussitôt que vous vous êtes brûlé, ajoutez suffisamment de bicarbonate de sodium à un blanc d'œuf pour en faire une solution crémeuse que vous appliquerez sur la brûlure. Plus vite vous l'appliquerez, plus vous aurez de chances de prévenir l'enflure.

- Râpez finement une demi-pomme de terre et appliquez les râpures sur la brûlure; laissez en place jusqu'à la disparition de la douleur.

- Pour atténuer la douleur, écrasez un oignon cru et appliquez-le sur la brûlure. Répétez si nécessaire.

- Étendez un peu de pâte dentifrice à la menthe sur la brûlure, laissez sécher et rincez ensuite à l'eau froide.

- Battez en neige un blanc d'œuf et appliquez-en une petite quantité sur la blessure. Répétez jusqu'à la guérison.
- Mélangez suffisamment de vinaigre à du bicarbonate de sodium afin d'obtenir une pâte épaisse. Puis, étalez délicatement sur la brûlure.
- Préparez une pâte épaisse avec de la farine et de la mélasse. Rincez la brûlure à l'eau froide et appliquez-y une généreuse couche de cette pâte, avant de recouvrir d'un pansement. Répétez le traitement toutes les heures pendant 24 heures.
- Mélangez 2,5 ml de gomme arabique avec un blanc d'œuf et étalez délicatement en petites couches sur la brûlure.
- Coupez une rondelle de concombre et massez doucement la brûlure.
- Appliquez une mince couche de miel sur la brûlure. Le miel contient beaucoup d'enzymes aux propriétés régénératrices.
- Appliquez de l'eau froide tout de suite après vous être brûlé, cela vous évitera l'apparition de marques sur la peau.
- Râpez une pomme de terre pelée et enveloppez les râpures dans une compresse de gaze. Appliquez et renouvelez si la douleur persiste.
- Un cataplasme de cantaloup (ou de melon miel) est un excellent remède pour soulager les brûlures.
- Faites tremper la zone affectée dans un bain d'eau additionnée de quelques gouttes de vinaigre.
- Saupoudrez la plaie d'un peu de bicarbonate de sodium.
- Posez une compresse de lait bouilli sur la zone affectée.
- En cas de cloques, vous ne devez jamais les crever mais seulement les désinfecter avec un antiseptique non coloré.

- Si une cloque est apparue à la suite d'une brûlure, tamponnez-la avec un coton imbibé de thé fort pour qu'elle guérisse plus rapidement.

- Les brûlures traitées par l'argile guérissent vite et laissent moins de traces que d'autres procédés, surtout quand elle peut être appliquée immédiatement. Cette matière prévient les risques d'infection et absorbe toutes les impuretés pouvant se trouver dans la brûlure. L'argile élimine aussi les cellules détruites et favorise la reconstitution cellulaire. De plus, les enfants aiment mieux se faire soigner avec de la boue qu'avec de l'onguent.

Callosité

- Si la peau de vos coudes ou de vos genoux est quelque peu rugueuse, préparez le mélange suivant : 30 g de sel de mer fin ajouté à 30 ml d'huile d'olive (ou encore d'huile d'amande douce). Mélangez bien. Frottez et massez ensuite délicatement les zones affectées. Rincez à l'eau et séchez soigneusement.

Calcul rénal

- Pour vous débarrasser de calculs rénaux, buvez, tous les matins, à jeun, 30 ml d'huile d'olive vierge extra additionnés de 2,5 ml de jus de citron.

- Pendant une dizaine de jours, faites macérer 250 ml de racines d'artichaut dans 1 litre d'eau ; filtrez et embouteillez. Buvez-en 200 ml par jour.

- Posez sur les vertèbres lombaires un cataplasme fait de navet râpé ou très finement haché, et laissez agir pendant une heure. Jetez et répétez plusieurs fois par jour.

Cheveux [perte des]

Une perte de cheveux considérable peut être due à un stress important relié à des événements qui vous touchent. Pour atténuer cet effet et ralentir la perte de vos cheveux, voici quelques remèdes.

- Réduisez une dizaine de graines de persil en poudre, puis saupoudrez sur vos cheveux avant de vous masser pour bien l'imprégner à votre chevelure. Dormez toute la nuit avec cette substance, et lavez-vous la tête à votre réveil. Répétez ce traitement quotidiennement pendant environ deux semaines: la chute de vos cheveux devrait être ralentie.

- Frictionnez-vous le cuir chevelu avec de l'huile d'olive vierge extra tous les soirs pendant deux semaines. Massez bien, puis enveloppez-vous la tête pour la nuit. Bien sûr, au matin, faites-vous un shampoing.

- Faites la décoction suivante et utilisez-la, plusieurs fois par semaine, pour vous masser le cuir chevelu : portez à ébullition 750 ml d'eau et 20 ml de graines de semence de capucine. Réduisez le feu, puis faites mijoter pendant 35 minutes. Filtrez, laissez tiédir.

- Jetez 20 g de cresson dans 1 litre d'eau bouillante. Laissez infuser une quinzaine de minutes et filtrez. Servez-vous de cette décoction pour vous laver les cheveux de deux à trois fois par semaine.

- Préparez une infusion avec 250 g de feuilles fraîches de basilic dans 1 litre d'eau. Laissez tiédir, broyez et filtrez. Appliquez en frictions, une semaine par mois.

- Mettez 100 g de basilic frais dans 1 litre d'eau froide. Portez à ébullition, réduisez le feu, puis laissez mijoter pendant 20 minutes. Filtrez, puis ajoutez 45 ml de basilic séché. Utilisez de deux à trois fois par semaine pour vous masser le cuir chevelu juste avant de vous donner un shampoing.

- Concoctez-vous l'onguent suivant : 500 ml de laitue (la plus verte possible) et 500 ml de feuilles d'épinard dans 125 ml d'eau. Réduisez en purée et appliquez sur le cuir chevelu. Enveloppez d'un linge de coton et gardez toute la nuit. Répétez trois fois par semaine.

Cheveux [soins des]

- Mélangez 15 ml d'huile d'olive, 15 ml d'alcool à 70° et un jaune d'œuf. Battez le tout jusqu'à l'obtention d'une substance homogène. Appliquez juste avant de vous laver les cheveux. Répétez jusqu'à ce que vos cheveux aient retrouvé leur tonus.

- Pour revitaliser vos cheveux, enduisez-les de mayonnaise, laissez agir une quinzaine de minutes, puis rincez. Lavez-vous ensuite les cheveux comme à l'habitude. Répétez une fois par semaine, ou battez deux jaunes d'œufs, puis ajoutez 30 ml de rhum et 15 ml d'huile d'amande douce. Mélangez bien pour obtenir une pâte onctueuse. Mouillez-vous les cheveux, puis appliquez le mélange. Laissez agir environ cinq minutes, avant de rincer à l'eau tiède citronnée (le jus d'un citron dans 500 ml d'eau). Répétez une fois par semaine.

- Pour avoir des cheveux brillants, lavez-les à l'eau tiède ou même, si vous en êtes capable, à l'eau froide – plus l'eau est froide, plus vos cheveux gagneront en tonus et en brillance.

- Si vous avez les cheveux ternes, sans vitalité, que ce soit à cause des teintures, des agressions extérieures ou d'une carence alimentaire, voici une lotion qui vous aidera à nourrir votre chevelure. Mélangez 5 ml de pulpe d'aloès, 5 ml de germe de blé, 5 ml d'huile d'amande douce et cinq gouttes d'essence de romarin. Appliquez la lotion en la frottant dans vos cheveux du bout des doigts.

- Pour réhydrater vos cheveux, ajoutez 5 ml de miel liquide à un jaune d'œuf et étalez la mixture sur vos cheveux secs. Massez bien, couvrez-vous la tête d'une serviette chaude, puis laissez agir une quinzaine de minutes. Lavez-vous ensuite les cheveux comme à l'habitude. Répétez une fois par semaine, ou mélangez 20 gouttes d'huile essentielle de romarin à 50 ml d'huile d'olive. Enduisez vos cheveux de cette huile, en portant une attention particulière aux pointes des cheveux. Enveloppez-vous la tête d'une serviette, puis laissez agir pendant une heure avant de rincer et de vous laver ensuite les cheveux comme à l'habitude. Répétez une fois par mois.

- Pour combattre les cheveux secs, écrasez la pulpe d'un avocat et mélangez bien avec un jaune d'œuf. Appliquez sur les cheveux secs et non lavés et laissez agir une quinzaine de minutes, la tête enveloppée d'une serviette. Lavez-vous ensuite les cheveux comme à l'habitude. Répétez une fois par semaine.

Pour combattre les cheveux gras

- Donnez-vous un shampoing avec de la bière en bouteille. L'odeur disparaît rapidement au séchage. Répétez une fois par semaine.

- Réduisez 30 g de son de blé en fine poudre et massez-en votre cuir chevelu quelques minutes avant de vous donner un shampoing. Répétez une fois par semaine.

- Pressez le jus de deux citrons et ajoutez à 1 litre d'eau de source. Utilisez ensuite cette eau pour vous rincer les cheveux. Répétez à chaque shampoing.

- Frictionnez-vous le cuir chevelu avec une solution composée de 5 ml de vinaigre de cidre et de 500 ml d'eau. Lavez-vous ensuite les cheveux comme à l'habitude. Répétez une fois par semaine.

Cholestérol

Indispensable au fonctionnement du corps, le cholestérol est une graisse fabriquée aux deux tiers par le foie et apportée pour un tiers par l'alimentation. Présent dans la paroi des cellules, le cholestérol leur donne souplesse et force. Il assure également leur protection face aux agressions extérieures. Pour atteindre les différents organes, le cholestérol utilise des transporteurs qui lui permettent de circuler dans le sang. Les HDL (lipoprotéines de haute densité), qu'on appelle le bon cholestérol, récupèrent le cholestérol en excès et le ramènent au foie où il est transformé avant d'être éliminé. Les LDL (lipoprotéines de basse densité) transportent le cholestérol du foie vers toutes les cellules. Quand les LDL fonctionnent mal ou sont en excès, le taux de cholestérol dans le sang augmente. Le cholestérol s'accumule et forme des plaques qui peu à peu bouchent les artères. C'est pourquoi le LDL est surnommé le mauvais cholestérol.

- Les trucs les plus simples pour élever le taux de bon cholestérol dans votre corps sont: manger de l'ail et de l'oignon et prendre de la vitamine B_6 (100 mg chaque jour).

- Pour lutter contre un trop haut taux de cholestérol, il est indiqué de consommer, chaque jour, plusieurs verres de jus de citron ou de pamplemousse car ceux-ci ont le pouvoir de dissoudre et d'éliminer les gras.

- Buvez de deux à trois tasses de thé quotidiennement pour abaisser le taux de votre mauvais cholestérol ou simplement pour le maintenir à son taux actuel si celui-ci est satisfaisant.

- Consommez des choux de Bruxelles et d'autres légumes de la famille des choux plusieurs fois par semaine.

- Pour maintenir votre taux actuel de cholestérol, si celui-ci est présentement satisfaisant, mangez deux ou trois noix de Grenoble quotidiennement.

- Mangez des carottes crues. Des études ont démontré qu'une personne qui mange deux carottes et demie de taille moyenne par jour réduit son niveau de cholestérol de 11 %.

- Faites tremper un abricot sec dans 250 ml d'eau pendant une nuit ; mangez l'abricot et buvez l'eau à jeun le matin.

- Ajoutez 30 ml de miel et 15 ml de poudre de cannelle à 400 ml d'eau de thé, ce qui permet de réduire le niveau de cholestérol dans le sang de 10 % dans un délai de deux heures.

- À jeun le matin, prenez 15 ml huile d'olive ; attendez 10 minutes, puis buvez une tasse d'eau chaude, aussi chaude que vous le pouvez. Attendez une dizaine de minutes avant de déjeuner.

- Buvez 125 ml de jus de pomme tous les matins pendant deux semaines, puis continuez d'en consommer régulièrement.

- Jetez un quartier de pamplemousse et le zeste d'un citron moyen dans 250 ml d'eau bouillante. Laissez infuser une quinzaine de minutes et filtrez. Buvez-en une tasse matin et soir.

- Jetez trois ou quatre feuilles d'artichaut dans 250 ml d'eau bouillante. Laissez infuser une quinzaine de minutes et filtrez. Buvez-en une tasse matin et soir.

- Pour diminuer un taux trop élevé de cholestérol sanguin, buvez, tous les matins, un verre de jus d'orange additionné de six gouttes d'huile essentielle d'orange et d'un peu de miel.

Cicatrisation

- Pour favoriser et accélérer la cicatrisation, désinfectez et nettoyez bien la plaie, puis appliquez une bonne couche de miel. Recouvrez de gaze. Répétez quotidiennement jusqu'à la guérison.

- Pour faire de belles cicatrices, ajoutez suffisamment de crème 35 % à un jaune d'œuf pour en faire une pâte, puis appliquez sur la plaie matin et soir jusqu'à la guérison.

Clou

- Badigeonnez de beurre une débarbouillette et, avec celle-ci, frottez délicatement la zone infectée. Répétez le traitement deux fois par jour, matin et soir, jusqu'à la guérison.

Colique

- Versez deux gouttes de cognac dans 5 ml d'eau bouillie et refroidie. Avalez d'un seul coup. Répétez le traitement au besoin.

- Pour soulager la douleur due aux coliques, buvez de trois à quatre fois par jour une infusion d'aneth.

- Ébouillantez 30 ml de fenouil frais dans 250 ml d'eau bouillante. Laissez infuser 10 minutes et buvez. Répétez trois fois par jour.

- Pour soulager les coliques de nourrissons, faites boire au bébé 10 ml d'une infusion de camomille toutes les deux heures. Pour les bébés nourris au sein, il est recommandé à la mère de boire ce type d'infusion.

Congestion nasale

- Pour dégager les sinus lorsqu'il y a inflammation des muqueuses, écoulement nasal ou congestion nasale, buvez 250 ml de jus de pamplemousse, trois fois par jour.
- Glissez un gros morceau de camphre dans un carré de tissu et épinglez-le sous votre vêtement de corps, autant que possible à la hauteur de la poitrine. Portez-le tout l'hiver pour éviter les problèmes de congestion nasale.
- Pour déboucher votre nez, tranchez un oignon en deux, approchez la partie coupée de votre nez et inhalez profondément. Répétez pour l'autre narine. Refaites au besoin.

Conjonctivite

- Buvez deux tasses par jour de cette tisane : 30 ml de cerfeuil frais ou 5 ml de cerfeuil séché pour 250 ml d'eau bouillante. Cette infusion, soigneusement filtrée, peut également servir de liquide pour faire des compresses sur les yeux afin de soulager la conjonctivite.
- Mélangez un jaune d'œuf et suffisamment de farine de blé pour en faire une pâte. Étalez-la sur vos yeux fermés et laissez agir pendant environ une heure. Répétez quotidiennement jusqu'à l'atténuation des symptômes.

- Mélangez un jaune d'œuf, de la mie de pain complet et suffisamment de lait pour en faire une pâte. Étalez-la sur vos yeux fermés et laissez agir pendant une quinzaine de minutes. Répétez toutes les deux heures jusqu'à l'atténuation des symptômes.
- Versez 20 ml de shampoing pour bébé dans 250 ml d'eau tiède. Imbibez-en une ouate et nettoyez délicatement vos cils. Répétez jusqu'à trois fois par jour si nécessaire.
- Pour soulager la douleur chez un enfant, appliquez une compresse d'eau tiède sur ses yeux pendant une dizaine de minutes, de trois à quatre fois par jour. Répétez jusqu'à l'atténuation des symptômes.

Constipation

Une personne sur cinq et pas moins d'une femme sur deux souffrent de constipation. Pourtant, il n'est pas toujours facile de parler de ce problème.

La constipation consiste en un retard ou une difficulté à évacuer les selles. Elle peut être occasionnelle (voyage, grossesse, etc.) ou chronique. La fréquence d'évacuation des selles varie d'une personne à l'autre, allant de trois fois par jour à trois fois par semaine. On peut parler de constipation lorsque les selles sont dures, sèches et difficiles à évacuer. En général, cela survient s'il y a moins de trois selles par semaine. La constipation peut être soit de progression (ou de transit), c'est-à-dire que les selles stagnent trop longtemps dans le côlon, soit terminale (ou d'évacuation), c'est-à-dire qu'elles s'accumulent dans le rectum. Les deux problèmes peuvent coexister chez une même personne. Voici quelques trucs pour vous aider à régler ce problème.

- Vous le savez, il faut boire quotidiennement entre 1,5 litre et 2 litres d'eau par jour pour garder la santé. Une habitude d'autant plus importante si l'on a tendance à être constipé car l'absorption d'eau, et de liquide de façon plus générale, en quantité suffisante favorise le ramollissement des selles et facilite leur évacuation. Consommez de l'eau, des jus de fruits et des soupes à volonté sans trop forcer toutefois sur le café et le thé.

- Les jus d'agrumes – orange, citron, pamplemousse, etc. – sont d'excellents laxatifs naturels. Leur action sur le transit intestinal sera encore plus efficace si vous prenez l'habitude d'en consommer tous les matins, à jeun, un grand verre bien frais.

- Un des meilleurs laxatifs naturels : buvez du jus d'épinard frais.

- Pour combattre la constipation, mettez deux gouttes d'huile essentielle de coriandre dans 15 ml de miel et avalez trois fois par jour après les repas.

- Une infusion de feuilles de framboisier par jour constitue un excellent diurétique et s'avère de bon usage pour les gens souffrant de constipation.

- Faites macérer, dans 1 litre de vin rouge, 250 ml de raisins secs ainsi que les zestes râpés d'un citron et d'une orange pendant huit jours. Filtrez, embouteillez et conservez dans une bouteille hermétiquement fermée. Quinze minutes avant le repas du midi et 15 minutes avant le repas du soir, prenez 30 ml de cet élixir.

- Pour lutter contre la constipation, mettez 100 g de basilic frais dans 1 litre d'eau froide. Portez à ébullition, réduisez le feu, puis laissez mijoter pendant 20 minutes. Filtrez, puis ajoutez 45 ml de basilic séché. Laissez tiédir, trempez un linge dans la décoction et appliquez sur l'abdomen.

- Pruneaux, jus et confitures de ces fruits sont des laxatifs naturels et efficaces.
- Avalez quotidiennement, sans les mâcher, quelques graines de moutarde blanche ou noire.
- Dès le matin en vous levant, mangez quelques figues ou encore une banane très mûre ; mangez une autre banane très mûre après le dîner.
- Le matin, à jeun, buvez un verre de jus de pamplemousse ou de jus de carotte frais.
- Versez quotidiennement 30 ml de son d'avoine dans votre nourriture, potage, salade ou ragoût.
- Le matin, à jeun, mettez 5 ml de farine d'avoine dans un verre d'eau et buvez.
- Si vous souffrez de constipation, mangez une pomme tous les jours après le repas du soir.
- L'infusion de pissenlit est réputée excellente pour lutter contre la constipation. Ébouillantez 28 g de racines, de feuilles ou de fleurs de pissenlit (ou un mélange des trois) dans 1 litre d'eau. Laissez infuser 10 minutes et buvez deux ou trois tasses par jour.
- Délayez 15 g d'argile dans 200 ml de jus d'orange et buvez à jeun. Attendez une quinzaine de minutes avant de manger. Répétez tous les matins pendant sept jours. Répétez une fois si le problème n'est pas réglé.
- Faites cuire 250 g de carottes dans 250 ml d'eau pendant 30 minutes, puis passez au mélangeur. Consommez une portion tous les jours.

- Versez 15 g de feuilles et de tiges d'artichaut coupées finement dans 500 ml d'eau bouillante. Laissez infuser une dizaine de minutes, puis filtrez. Buvez-en de deux à trois tasses tout au long de la journée à petites gorgées. Répétez si nécessaire.

- Jetez 125 g de poireau, coupé en morceaux, dans 375 ml d'eau bouillante. Couvrez. Laissez mijoter une quinzaine de minutes, puis filtrez. Buvez-en une tasse après les repas. Répétez si nécessaire.

- Dans 250 ml d'eau froide, mettez 125 ml de courge coupée en morceaux. Portez à ébullition, réduisez le feu et faites mijoter une quinzaine de minutes. Filtrez. Buvez une tasse de cette boisson après chacun des repas pour éviter la constipation.

- Pour activer un intestin paresseux, massez-vous doucement et régulièrement le ventre.

- La pratique régulière d'un exercice physique contribue à évacuer plus fréquemment les selles, car il est prouvé que la vie sédentaire favorise la constipation.

- Le stress est propice à la constipation. L'évacuation normale des selles fait appel à différents muscles qui doivent être détendus pour mieux fonctionner. Pour mieux vous détendre, prenez un livre ou un magazine et installez-vous confortablement sur le siège de la toilette.

- Rendez-vous chaque jour à la même heure aux toilettes, vous éduquerez ainsi votre intestin et vos muscles à faire régulièrement leur travail. Une fois de plus, sachez prendre votre temps et ne vous angoissez pas si « ça ne vient pas ». Les bonnes habitudes sont parfois longues à prendre !

- Répondez au besoin d'aller aux toilettes dès qu'il se présente. Après avoir mangé, les intestins entrent dans une vague de contractions afin d'évacuer les selles. Il s'agit d'un réflexe naturel qui aide à leur sortie en douceur. En n'écoutant pas l'envie d'aller à la selle, l'évacuation devient plus difficile.

- Attention : à la longue, l'abus de laxatifs entraîne une dépendance de l'intestin qui ne sait plus fonctionner normalement et naturellement.

Cor/durillon

- Faites tremper de la mie de pain dans du vinaigre pendant une trentaine de minutes et appliquez-la en cataplasme sur la zone affectée.
- Brûlez une branche de fougère jusqu'à ce qu'elle ne soit plus que cendres, puis mélangez-la à un peu de graisse végétale de façon à obtenir un onguent. Appliquez sur la zone affectée.
- Dissolvez cinq cachets d'aspirine dans 15 ml d'eau et 15 ml de jus de citron pour obtenir une pâte onctueuse. Appliquez cette dernière sur le cor et enveloppez le pied dans un sac de plastique, avant de le recouvrir d'une serviette chaude. Laissez agir pendant une vingtaine de minutes. Frottez ensuite le cor avec une pierre ponce.
- Faites tremper le pied affecté dans de l'eau chaude à laquelle vous aurez ajouté un peu de camomille (30 g par 500 ml d'eau) pendant une quinzaine de minutes.
- Écrasez une gousse d'ail et appliquez-la sur le cor. Protégez d'un bandage adhésif et gardez toute la nuit. Répétez tous les soirs jusqu'à la guérison.
- Appliquez une tranche de citron sur le cor et recouvrez d'une gaze pour qu'elle reste en place toute la nuit. Répétez au besoin.

- Faites macérer six ou sept feuilles de poireau dans 250 ml de vinaigre de vin pendant 24 heures. Tous les soirs, au moment d'aller au lit, appliquez une feuille de poireau sur le cor et couvrez-la d'une gaze pour qu'elle reste en place toute la nuit. Répétez tous les soirs jusqu'à la guérison.
- Appliquez des feuilles de bette à carde comme cataplasme, enveloppées d'un tissu d'étamine, sur les cors.

Coup de soleil

- Pour soulager un coup de soleil, détendez-vous une bonne demi-heure dans un bain d'eau tiède (plus froide que chaude) à laquelle vous aurez ajouté 250 ml de bicarbonate de sodium.
- Pour atténuer la douleur causée par les coups de soleil, tamponnez la peau à l'aide d'un linge doux imbibé de vinaigre refroidi. Attendez quelques minutes avant de rincer.
- Pour soulager et faire disparaître l'enflure du visage à la suite d'un coup de soleil, appliquez une couche de yogourt nature. Laissez agir une vingtaine de minutes, puis rincez.
- Appliquez une compresse de thé froid sur la peau brûlée pendant une quinzaine de minutes. Répétez plusieurs fois par jour jusqu'à ce que la douleur ait disparu.
- Appliquez des rondelles de concombre ou de tomate sur la peau brûlée pendant une quinzaine de minutes. Répétez plusieurs fois par jour jusqu'à ce que la douleur ait disparu.
- Appliquez un cataplasme de pommes de terre crues, coupées en petits morceaux, sur la peau brûlée pendant une quinzaine de minutes. Répétez plusieurs fois par jour jusqu'à ce que la douleur ait disparu.

- Mélangez 125 ml de lait écrémé à 500 ml d'eau et ajoutez cinq ou six glaçons. Appliquez le mélange en compresse pendant une quinzaine de minutes et répétez toutes les deux heures jusqu'à ce que la douleur ait disparu.
- Ajoutez 250 ml de lait écrémé à 1 litre d'eau glacée. Versez-en sur une compresse et appliquez-la sur la peau brûlée. Répétez plusieurs fois par jour jusqu'à ce que la douleur ait disparu.
- Quelques tranches de concombre posées sur le visage auront pour effet d'apaiser la douleur et de rafraîchir la peau.

Coupure

Il n'est pas rare que l'on se coupe. Bien sûr, il faut d'abord et avant tout être prudent pour éviter que cela se produise, mais lorsque cela survient, voici quelques petits conseils.

- Si l'instrument avec lequel vous vous êtes coupé est sale ou rouillé, laissez d'abord la blessure saigner un peu pour éliminer les «dépôts» qui auraient pu s'infiltrer dans la blessure; lavez à l'eau claire, puis appliquez une solution antiseptique pour empêcher toute infection.
- Si vous vous coupez peu profondément, passez tout de suite cette partie coupée sous l'eau, puis appliquez sur la blessure de l'aloès, des feuilles de thé humides ou... du poivre de Cayenne. La blessure arrêtera aussitôt de saigner.
- Appliquez du papier à rouler à cigarettes (de type Zig-Zag) sur la coupure; si la blessure n'est pas trop profonde, le saignement s'arrêtera presque automatiquement.
- Appliquez du poivre moulu sur la coupure.

- Passez une carotte crue au mélangeur pour en obtenir une pâte, puis posez-la sur la coupure – cela évitera l'infection et facilitera la cicatrisation.

- Appliquez une compresse de feuilles de menthe directement sur la plaie, en la remplaçant deux ou trois fois par jour.

- Pour guérir sans cicatrices, ouvrez un œuf cru et, en faisant attention, récupérez la sorte de peau à l'intérieur de la coquille, puis appliquez-la sur la coupure.

- Si vous vous coupez profondément et que la blessure n'arrête pas de saigner, faites une pression pour atténuer le saignement et rendez-vous aussitôt consulter un médecin.

Crampe

- Dès que vous ressentez les premières douleurs, faites un garrot au-dessus du genou de la jambe atteinte. Attention, ne le gardez pas plus de deux ou trois minutes.

- Appliquez une compresse d'eau chaude sur la zone affectée. La crampe disparaîtra rapidement.

Démangeaison

- Qu'elle soit causée par la sécheresse de la peau ou par une affection cutanée, vous apaiserez une démangeaison en prenant un bain d'eau chaude, auquel vous aurez ajouté 250 g de flocons d'avoine. Répétez deux fois par jour aussi longtemps que nécessaire.
- Faites une compresse d'eau chaude à laquelle vous ajouterez environ 5 g de sel de mer. Laissez agir pendant une quinzaine de minutes. Frictionnez ensuite avec du vinaigre de cidre pendant quatre à cinq minutes. Répétez au besoin.
- Vous pourrez apaiser les démangeaisons avec l'application de compresses d'eau imbibées de bicarbonate de sodium. Répétez aussi longtemps que nécessaire.
- Appliquez des sachets de thé mouillés sur les zones affectées. Répétez au besoin.
- Appliquez une compresse de lait froid sur la zone affectée. Répétez au besoin.

- Pour soulager les démangeaisons et les irritations cutanées mineures dues aux piqûres d'insectes ou de plantes, ou encore à certaines maladies infantiles comme la varicelle, prenez un bain dans lequel vous aurez versé 250 g de bicarbonate de sodium.
- Contre les piqûres d'insectes et les démangeaisons liées à une maladie de peau, à une maladie comme la varicelle ou à l'herbe à puce, appliquez des tranches de concombre ou frottez le corps avec celles-ci.

Dent

- Vous avez mal aux dents? Appliquez simplement un clou de girofle contre la ou les dents qui vous font souffrir. Vous serez vite soulagé.
- Imbibez un coton-tige avec de l'huile essentielle de noix de muscade et appliquez sur la dent douloureuse.
- Les dents jaunies retrouveront leur blancheur si vous les brossez trois fois par semaine avec du jus de citron, du jus de pamplemousse et du jus de lime en parts égales. Cette lotion dentaire permet également de prévenir le tartre.
- Pour nettoyer les dents en profondeur, pour en chasser toutes les bactéries et pour soulager les problèmes de gencives, essayez ceci : brossez vos dents ou frottez vos gencives avec une boule de ouate trempée dans la décoction suivante : chauffez 500 ml de vin blanc additionné de 45 ml d'aneth séché (ou 135 ml d'aneth frais). Faites mijoter à feu très doux, de 25 à 35 minutes. Laissez refroidir. Conservez au réfrigérateur dans un contenant hermétique.

Diarrhée

La diarrhée n'est pas une maladie mais un symptôme. Elle se caractérise par des selles fréquentes, plutôt molles, parfois même liquides. Il est question de diarrhée lorsqu'il y a plus de trois selles molles ou liquides par jour. La plupart des gens souffrent d'une diarrhée aiguë quelques fois par année. Une intoxication alimentaire, une tourista contractée en terre étrangère ou une période de stress sont quelques facteurs qui peuvent en déclencher une. Dans sa forme aiguë, la diarrhée dure en général de deux à trois jours. La diarrhée chronique, quant à elle, persiste plusieurs mois et survient généralement en raison d'une maladie du système digestif (le syndrome de l'intestin irritable, la colite ulcéreuse ou la maladie de Crohn) ou d'une intolérance alimentaire. Les trucs qui suivent portent sur la diarrhée aiguë, qui est souvent l'un des symptômes de la gastroentérite, avec les nausées et les vomissements.

- En général, les cas de diarrhée aiguë se soignent d'eux-mêmes en deux ou trois jours, avec du repos et quelques changements dans l'alimentation. La diète doit comprendre uniquement une absorption de liquides pour prévenir la déshydratation et, lorsque les symptômes sont disparus, un apport progressif de certains aliments.

- Le remède par excellence pour guérir la diarrhée : les mûres, fraîches, en confitures ou en jus. Il est recommandé de consommer 100 ml de fruits frais, 150 ml de jus ou 5 ml de confiture toutes les quatre heures.

- Lavez une pomme, puis épluchez-la. Laissez-la sur le comptoir jusqu'à ce qu'elle brunisse – autrement dit, laissez les pigments de la pomme s'oxyder –, puis consommez-la.

- Épluchez, puis hachez 1 kg de pommes bien mûres. Pilez pour obtenir une bouillie, puis consommez cette seule nourriture pendant une journée.

- La cannelle est aussi un très bon remède. Saupoudrez-en une pincée sur une pomme épluchée.

- Comme antidiarrhéique et pour soulager les problèmes de foie, ajoutez une pincée de cannelle et un jet de jus de citron à une tasse de thé.

- Dans les cas de diarrhées chroniques, achetez de jeunes artichauts et consommez-en un par jour, cru.

- Faites une décoction en plongeant de 30 g à 60 g de bleuets dans 1 litre d'eau froide. Portez à ébullition et laissez mijoter doucement durant une quinzaine de minutes. Ensuite, filtrez pendant que la préparation est encore chaude. Laissez refroidir et conservez au réfrigérateur. Buvez jusqu'à six tasses par jour au besoin.

- Faites macérer, pendant 15 à 20 jours, 200 g de bleuets dans un alcool à 40°. Filtrez. Buvez chaque jour un petit verre de cet alcool pour stopper la diarrhée.

- Déposez de 15 ml à 30 ml d'écorces de chêne broyées dans 500 ml d'eau, puis faites bouillir pendant 15 minutes. Couvrez et laissez reposer pendant 30 minutes. Filtrez. Buvez-en trois tasses par jour entre les repas. Préparez cette décoction chaque jour pour garder son effet.

- Faites une infusion avec 15 ml de fleurs séchées de camomille dans 150 ml d'eau bouillante pendant 5 à 10 minutes. Buvez-en trois ou quatre fois par jour.

- Infusez de 0,5 g à 1 g de gingembre en poudre ou environ 5 g de gingembre frais râpé dans 150 ml d'eau bouillante durant 5 à 10 minutes. Buvez-en de deux à quatre tasses par jour.

- Une bouillotte remplie d'eau chaude sur le ventre ralentira les contractions de votre estomac ; vous vous sentirez mieux très rapidement.

Diarrhée du voyageur/tourista

Pour diminuer le risque de tourista, surveillez attentivement ce que vous mangez et buvez. Voici quelques conseils utiles.

- Buvez de l'eau en bouteille ou de l'eau désinfectée avec des produits spéciaux (évitez la glace, même dans vos alcools et cocktails, car elle provient de l'eau du robinet).
- Buvez uniquement du lait pasteurisé.
- Évitez les aliments crus, sauf les fruits et les légumes qui sont à rincer et à peler ; évitez aussi les aliments à base d'œufs non cuits comme la mayonnaise, certaines sauces (par exemple, la sauce hollandaise) et certains desserts (comme les mousses), ainsi que les crèmes glacées non industrielles.
- Côté cuisson, il est conseillé de consommer des aliments cuits récemment, ou bouillants. Ceux qui sont cuits et conservés à la température ambiante pendant plus de quatre à cinq heures risquent davantage de provoquer la tourista ; attention donc aux plats exotiques qu'on vous propose dans les marchés.
- Enfin, un conseil pratique : lavez-vous les mains au savon fréquemment, systématiquement après être allé aux toilettes et avant de manger.

Digestion

Voici quelques trucs pour favoriser la digestion.

- Faites infuser pendant une quinzaine de minutes, dans une tasse d'eau chaude, 5 ml d'écorces d'orange séchée.
- Prenez 5 ml de vinaigre de cidre avant chaque repas.

- Pelez, essuyez et coupez 250 g de pommes de terre ; extrayez-en le jus à la centrifugeuse. Ajoutez le jus d'un citron. Buvez 30 ml de cette préparation avant chaque repas pendant une journée.

- Après le repas, buvez une tasse de thé dans laquelle vous saupoudrerez une pincée de cannelle et verserez un jet de jus de citron.

- Jetez 5 g de thym séché dans 250 ml d'eau bouillante. Laissez infuser une dizaine de minutes et filtrez. Buvez-en une tasse après chaque repas. Répétez au besoin.

- Vos problèmes digestifs seront aisément résolus si vous buvez, après chaque repas, 250 ml d'eau chaude additionnée de 5 ml de miel (ou de cassonade) et de deux gouttes d'huile essentielle de citron.

- Jetez 20 g d'avoine dans 250 ml d'eau chaude et laissez infuser cinq minutes. Laissez reposer, puis filtrez. Buvez-en une tasse par jour.

- Mélangez en parts égales jus de persil, jus de carotte et jus de céleri. Buvez-en une tasse après chaque repas.

- Ajoutez le jus de 1/2 citron et 5 ml de miel à 250 ml d'eau chaude. Buvez-en une tasse après chaque repas.

- Diluez 5 g de bicarbonate de sodium et 5 ml de jus de citron dans 250 ml d'eau chaude. Buvez-en une tasse après chaque repas.

- Dans 1 litre d'eau, faites bouillir pendant une heure 250 g de feuilles de céleri. Filtrez et buvez.

- Le fait de mâcher une gousse d'ail tous les matins aide à prévenir et à guérir de nombreuses affections des voies digestives.

- Si vous éprouvez des difficultés digestives après un repas trop copieux ou que vous avez mangé un aliment qui semble ne pas vouloir «passer», croquez des graines d'aneth.
- Déposez dans une tasse une tranche épaisse de citron et un sachet de thé vert. Ébouillantez, laissez infuser une dizaine de minutes, retirez le sachet, sucrez avec un peu de miel ou de cassonade, buvez chaud et dites adieu à vos problèmes de digestion.

Dos [problèmes de]

Il est estimé que près de 75 millions de Nord-Américains ont des problèmes de dos, allant de l'inconfort occasionnel aux maux de dos chroniques.

Les maux de dos surviennent à l'occasion d'une blessure ou d'un surmenage musculaire. Le port d'un objet lourd, l'athlétisme, voire un faux mouvement, peuvent être à l'origine de ces maux. La contraction musculaire, une réaction naturelle de l'organisme qui tend à empêcher le mouvement et obliger l'immobilisation, est habituellement à l'origine de la douleur. Ces douleurs musculaires sont fréquemment localisées au dos (lombagos), car les muscles et les ligaments du dos, de même que les cinq vertèbres lombaires (dites lombo-sacrées), portent le poids d'un effort de soulèvement, de la station debout et de la marche. Bien que les douleurs lombaires puissent annoncer une affection médicale plus grave (dans 10 % des cas seulement), ce n'est habituellement pas le cas.

- Chauffez légèrement un morceau de camphre avec un peu d'huile d'olive et massez-vous doucement le dos, avant de le recouvrir d'une serviette chaude. Répétez le traitement au besoin.

- Jetez 60 g de farine d'avoine dans 500 ml d'eau. Faites chauffer à feu doux jusqu'à l'obtention d'une bouillie fluide. Laissez tiédir et appliquez en cataplasme sur la zone affectée pendant une quinzaine de minutes, deux fois par jour. Répétez au besoin.
- Faites cuire deux poireaux dans 500 ml d'eau pendant une vingtaine de minutes. Laissez tiédir et appliquez en cataplasme sur la zone affectée jusqu'à refroidissement, trois fois par jour.
- Des compresses froides peuvent vous aider à soulager le mal et à réduire l'enflure, surtout durant les 48 premières heures. Appliquez les compresses trois ou quatre fois par jour, de 15 à 20 minutes chaque fois ou jusqu'à une heure pendant les trois premiers jours.
- Allongez-vous sur le dos, repliez vos jambes et mettez les pieds bien à plat par terre. Faites faire des contractions à vos abdominaux, gardez la position pendant 10 secondes et relâchez-la. Répétez l'exercice cinq fois en faisant attention de respirer calmement.

Mesures préventives

- Il est très important que vous ayez une bonne posture (tenez-vous droit) et une bonne technique au moment de soulever une charge, ce qui force moins le dos.
- Faites de l'exercice dans le but de renforcer et d'étirer vos muscles : cela vous permettra d'améliorer votre souplesse et la capacité de votre dos à supporter votre corps.
- Essayez de ne pas vous asseoir ou rester debout trop longtemps sans bouger.
- Si vous travaillez assis ou dans la cuisine, veillez à ne pas avoir à vous pencher sur la surface de travail.

- Lorsque vous êtes assis sur une chaise ou dans un fauteuil, asseyez-vous droit et gardez les pieds à plat sur le sol. Si vos pieds ne touchent pas à terre, placez un tabouret ou quelques livres dessous.
- Si vous devez rester debout sur place pendant longtemps, reposez un pied sur un tabouret, une boîte ou un livre.
- Lorsque vous soulevez un objet, pliez-vous les genoux et utilisez la force de vos jambes plutôt que celle du dos.
- Lorsque vous êtes couché, étendez-vous sur le côté ou sur le dos avec un oreiller entre les jambes. Ne vous couchez pas sur le ventre.
- Évitez de porter des souliers à talons hauts.
- Faites de petites marches ou des exercices légers afin de garder les muscles forts et souples.

Ecchymose/hématome

Qui au monde ne s'est jamais blessé? Si tel est le cas, passez ces pages et consultez un médecin car ce n'est pas normal! Une contusion (ou ecchymose) est une atteinte causée par l'application d'une force à un endroit défini du corps, résultant en un saignement sous la peau (hématome) et à l'intérieur de la peau (ecchymose). Le patient présentera une tuméfaction et une douleur localisée, qui pourront être confondues avec une fracture. Les personnes qui présentent une contusion d'un membre inférieur pourront cependant continuer à mettre du poids sur celui-ci, ce qui ne sera en général pas le cas lors d'une fracture. Voici quelques conseils qui vous éviteront des marques apparentes et qui pourront vous guérir des blessures quotidiennes qui peuvent arriver.

- Appliquez la règle «ARCS», c'est-à-dire: arrêter l'activité, refroidir le membre lésé, comprimer la lésion et surélever le membre blessé.

- S'il n'y a pas de blessure de la peau, appliquez des médicaments anti-inflammatoires ou analgésiques sous forme de gel ou de pommade.

- Aussitôt que vous vous êtes frappé, mouillez vos doigts d'une main, trempez-les dans un bol de sucre, puis massez vigoureusement les parties blessées. Soyez sûr de rejoindre tous les côtés de la blessure. Cela réduira la portée du capillaire brisé et empêchera qu'une marque bleue et noire se forme.

- L'application de glace est une thérapie classique qui est efficace juste après avoir reçu le coup; elle limite la gravité de l'ecchymose et soulage la douleur.

- Mélangez 250 ml de jus de raisin pur à 60 ml d'eau. Mouillez une compresse de ce mélange et appliquez sur l'ecchymose. Changez la compresse toutes les heures.

- Portez à ébullition une botte entière de thym frais dans 2 litres d'eau. Réduisez ensuite le feu et laissez mijoter une demi-heure. Filtrez et utilisez en compresse pour soulager la douleur due aux ecchymoses et aux contusions.

- Jetez une poignée de persil haché et une poignée de sel de mer dans un bol. Ajoutez suffisamment de rhum à ce mélange pour en obtenir une pâte. Appliquez-la sur la zone affectée et laissez agir une trentaine de minutes. Répétez si nécessaire.

- Pour soulager les douleurs dues à des ecchymoses ou à des contusions, faites un cataplasme de graines de carvi que vous aurez préalablement fait tremper pendant 20 minutes dans de l'eau très chaude.

- Aussitôt que vous vous êtes frappé un doigt ou un orteil, plongez la zone touchée dans la glace ou l'eau froide pendant une trentaine de secondes. Cela arrêtera le saignement, aussi bien intérieur qu'extérieur. Par la suite, pressez la zone affectée de façon à la comprimer pour que le saignement cesse encore – prenez toutefois garde de ne pas couper toute circulation. Pendant que vous compressez le doigt, levez-le au-dessus de votre tête pour ralentir la circulation du sang. Répétez l'opération autant de fois qu'il le faut pour que le saignement cesse définitivement. Cela vous évitera la douleur, une enflure et un ongle noir.

- Si vous vous frappez le doigt ou l'orteil, vous pouvez aussi râper un oignon moyen et le mélanger à 15 ml de sel. Ensuite, mettez la mixture dans un carré d'étamine et couvrez-en la partie affectée. Cela devrait chasser la douleur.

- Un très ancien remède: faites chauffer (mais pas noircir) 100 g de gros sel dans une poêle pendant quelques minutes, puis versez-le dans un bas avant de l'appliquer sur l'hématome pour le faire rapidement diminuer.

- Pour faire disparaître plus rapidement l'ecchymose, frottez-la avec un peu de beurre fortement persillé pendant une dizaine de minutes.

- Pour qu'une bosse n'enfle pas trop, mettez de l'essence de vanille sur une ouate et appliquez-la sur l'hématome. Laissez-la en place quelques heures avec un diachylon.

- Si vous êtes victime d'un œil au beurre noir, massez doucement la partie de l'œil la plus délicate avec de l'huile de castor à intervalles réguliers d'une heure. Cela soulagera la douleur, mais diminuera aussi le gonflement et réduira au minimum la décoloration de l'œil.

- Si vous êtes victime d'un œil au beurre noir et que vous n'avez pas de glace, utilisez un sac de légumes congelés – tout ce qui est froid peut convenir. Gardez la compresse froide improvisée en place pendant cinq minutes, puis retirez-la deux minutes. Répétez trois fois. Cela devrait chasser la douleur et réduire l'enflure et la décoloration.

- L'apport de chaleur après 24 heures (jamais avant), une fois que l'ecchymose est complètement constituée, semble favoriser l'irrigation sanguine en provenance des vaisseaux de voisinage permettant ainsi d'éliminer les liquides, les cellules et, de façon générale, des toxines inhérentes à l'ecchymose. Sur le plan pratique, l'apport de chaleur est obtenu par l'intermédiaire de bains chauds ou par l'application de coussins chauffants, ou encore d'un linge trempé dans de l'eau chaude sur une courte période (de 15 à 20 minutes).

Écharde

Pour retirer facilement une écharde, faites tremper votre doigt dans de l'eau chaude savonneuse pendant quelques minutes. Elle s'enlèvera toute seule !

Eczéma

- Lavez quelques feuilles de chou en prenant soin de retirer les grosses nervures, puis faites macérer dans de l'eau quelques heures. Appliquez ensuite ces feuilles de chou en compresse sur la zone affectée.
- Chaque soir avant le coucher, faites une compresse de carottes râpées et appliquez-la sur la zone affectée. Gardez toute la nuit. Recommencez chaque soir jusqu'à la guérison complète.
- Faites macérer quelques feuilles et un morceau d'écorce de bouleau dans 250 ml d'eau et laissez reposer 24 heures.

Appliquez directement sur les zones affectées pendant une quinzaine de minutes par jour.

- Appliquez une compresse de lait très froid sur la zone affectée pendant deux ou trois minutes. Répétez le traitement trois ou quatre fois de suite, en attendant cinq minutes entre chaque application et en retrempant la compresse dans le lait à chaque fois. Répétez le traitement pendant une semaine, ou jusqu'à la disparition de l'affection.

- Versez six gouttes d'huile essentielle de citron et délayez avec 15 ml de miel liquide. Versez sur une compresse, essorez bien et appliquez sur la zone affectée. Répétez au besoin.

- Faites un cataplasme de bleuets écrasés sur la région affectée.

- Prenez un bain d'eau tiède auquel vous aurez ajouté 10 ml d'huile pour bébé et 10 ml de vinaigre de cidre. Répétez au besoin.

- Versez du vinaigre de pomme dans un bain avec un peu d'huile de bébé – la quantité de vinaigre à utiliser dépend de l'importance de la manifestation, elle peut varier de 5 ml à 30 ml.

Élancement

Les élancements qui subsistent parfois après un mal de tête peuvent être chassés en frottant une demi-lime sur le front pendant une dizaine de minutes.

Engelure

Faites cuire un navet et sa pelure au four. Retirez, puis laissez refroidir. Une fois tiède, coupez-le en deux et frottez les morceaux sur les zones affectées.

Entorse

- Appliquez un cataplasme de feuilles de chou sur la zone endolorie pendant une quinzaine de minutes. Répétez si nécessaire.
- Pour réduire rapidement l'enflure consécutive à une entorse, faites tremper l'articulation douloureuse dans une bassine d'eau chaude pendant cinq minutes, puis dans l'eau froide pendant quelques secondes. Répétez quatre ou cinq fois.
- Jetez 30 g de fleurs d'arnica dans 250 ml d'eau et faites bouillir une vingtaine de minutes. Laissez refroidir, filtrez et imbibez-en une gaze épaisse. Appliquez sur la zone affectée et laissez en place pendant une vingtaine de minutes. Répétez deux ou trois fois par jour.

Fatigue

La fatigue est une sensation d'épuisement, de lassitude ou de somnolence consécutive au manque de sommeil, à une activité mentale ou physique prolongée, ou à de longues périodes de stress ou d'angoisse. Les tâches fastidieuses ou répétitives peuvent intensifier le sentiment de fatigue. On peut considérer qu'il existe trois niveaux de fatigue : la lassitude, due justement au manque de sommeil ou à un effort considérable ; l'épuisement, qui est la limite de ce que notre corps est capable d'assumer normalement ; le surmenage, qui n'est ni plus ni moins que la conséquence de périodes d'épuisement à répétition.

- Le matin en vous réveillant, servez-vous aussitôt un grand verre de jus de pomme. Idéalement, préparez-le à l'aide d'une centrifugeuse, sinon achetez du jus le plus naturel possible. Un dicton populaire dit : « Un verre de jus de pomme le matin, une journée sans fatigue ! »

- Voici un remontant instantané. Prenez une ou deux gouttes d'huile essentielle de gingembre (ou de citron) et versez-les dans 5 ml de miel liquide.

- Si vous avez un rendez-vous ou que vous devez participer à une réunion et que vous vous sentez las, pressez vos coudes sur les côtés ou pressez vos genoux l'un contre l'autre. Cela devrait augmenter votre circulation sanguine et vous redonner instantanément de l'énergie.
- Pour retrouver la vitalité, prenez 150 g de pulpe d'aloès (cinq ou six feuilles sans épines, lavées et écrasées), puis ajoutez 250 g de miel et 30 ml de cognac. Mélangez bien les ingrédients jusqu'à l'obtention d'une boisson crémeuse. Prenez-en 45 ml par jour, avant chaque repas, pendant environ une semaine.
- Pour contrer la fatigue, mélangez 250 ml de jus d'orange, 250 ml de jus de pomme et 250 ml de jus de citron. Réfrigérez et buvez plusieurs verres par jour afin de vous redonner du tonus, du dynamisme, de la vigueur et de l'énergie.
- Faites macérer la pelure coupée en morceaux et les quartiers défaits d'une orange bigarade – un type d'orange amère – dans 250 ml de vin rouge. Buvez-en une demi-tasse lorsque vous ressentez un coup de fatigue.
- Jetez 5 g de racine de gingembre, un clou de girofle et une pincée de muscade dans 250 ml d'eau bouillante. Laissez infuser une quinzaine de minutes, puis filtrez. Ajoutez du miel au goût. Buvez-en deux ou trois tasses quotidiennement à petites gorgées. Répétez aussi longtemps que nécessaire.
- Grâce à sa haute teneur énergétique, voici une liqueur aux dattes que vous pouvez préparer pour lutter contre la fatigue ou l'épuisement nerveux. Mettez 20 dattes et un bâton de vanille dans une bouteille que vous remplirez avec 750 ml de cognac. Fermez-la hermétiquement et rangez-la dans un endroit frais et obscur. Laissez macérer pendant un mois en l'agitant tous les deux ou trois jours. Prenez-en un petit

verre lorsque vous vous sentez faible ou fatigué – attention de ne pas en abuser.

Feu sauvage

- Dès l'apparition des premiers picotements annonciateurs d'un feu sauvage, humectez la zone affectée et saupoudrez-la légèrement de sel.
- Dès que vous ressentez les premiers petits picotements qui précèdent généralement la poussée du feu sauvage, coupez une gousse d'ail en deux et frottez-en la zone affectée.
- Pour accélérer la disparition d'un feu sauvage, appliquez une ou deux gouttes de parfum directement sur le feu sauvage.
- Pour atténuer la démangeaison due à l'apparition d'un feu sauvage, appliquez des compresses de vinaigre de cidre sur la zone affectée.

Fièvre

Voici deux trucs pour faire baisser la fièvre.

- Buvez de cinq à huit verres de jus d'agrumes par jour, alternant le jus d'orange et le jus de pamplemousse, chacun additionné du jus d'un demi-citron.
- Buvez trois verres de jus d'orange et trois verres de jus de pamplemousse par jour, en alternance, chacun additionné du jus d'un demi-citron.

Gaz

- Trois ou quatre gouttes d'huile essentielle de citron dans une tasse d'eau tiède viennent généralement à bout des gaz intestinaux, à la condition de ne pas ajouter de matière sucrante.
- Pour chasser ce problème, ajoutez trois ou quatre gouttes de crème de menthe à 125 ml d'eau et buvez.
- Jetez 5 g de cardamome moulue dans 250 ml d'eau bouillante. Laissez infuser une quinzaine de minutes, puis filtrez. Buvez-en une tasse avant les repas.
- Pour soulager les gaz intestinaux, mouillez d'eau chaude 45 ml de graines de cumin (juste assez pour les recouvrir). Écrasez-les, mêlez-les à suffisamment d'argile verte pour envelopper l'abdomen, mouillez avec l'eau de trempage des graines et appliquez en cataplasme sur l'abdomen. Laissez-le une vingtaine de minutes.

Gerçures

- Pour guérir ces petites crevasses désagréables, préparez ce baume. Dans un grand bol, mêlez un jaune d'œuf, 5 ml d'huile d'olive, 15 ml de lanoline ainsi que le jus et la pulpe d'un demi-citron. Mélangez pour obtenir une consistance homogène. Avant de vous coucher, enduisez-vous les mains de cette préparation, enfilez une vieille paire de gants de coton et gardez-la jusqu'au matin.
- Un onguent fait (en parts égales) de glycérine et d'huile d'olive pressée à froid est remarquablement bénéfique pour les mains gercées et les crevasses.
- Faites un cataplasme de pelures de concombre pour guérir les mains gercées, craquelées, fendillées ou abîmées d'une quelconque façon.
- Pour éviter les gerçures, passez un coton-tige imbibé d'huile d'amande douce sur vos lèvres tous les matins.

Gingivite

Pour guérir une gingivite, massez-vous doucement les gencives, plusieurs fois par jour, avec des pelures d'orange fraîche. En outre, augmentez votre consommation quotidienne d'oranges jusqu'à la guérison complète.

Gorge

Le mal de gorge est un vaste fourre-tout car, en réalité, il est un symptôme, c'est-à-dire un signe d'appel d'une maladie qui, associée à d'autres signes, permet de faire un diagnostic et de soigner la maladie dans la mesure du possible. Un mal de gorge peut avoir de multiples causes : la première, l'angine ou la rhinopharyngite ; les autres causes sont des irritations dues à la pollution, au tabac, à l'alcool, à une irritation mécanique comme de parler trop fort, trop longtemps, de se racler la gorge, une allergie, la présence d'une tumeur bénigne ou maligne, etc. Normalement, un mal de gorge disparaît après quelques jours ; aussi, devant un mal de gorge persistant, il est conseillé de consulter son médecin. Voici quelques petits trucs efficaces.

- Maux de gorge, toux, grippe, enrouements seront vite chassés avec un gargarisme fait de 125 ml d'eau chaude, 15 ml de miel et le jus de deux citrons.

- Lorsque vous sentez que vous serez victime d'un mal de gorge – vous ressentirez des picotements –, cueillez quelques branches de thym et faites-les infuser. Buvez l'infusion et répétez toutes les quatre heures.

- Un des traitements classiques contre le mal de gorge consiste à boire l'infusion suivante. Faites bouillir 250 ml d'eau, puis ajoutez le jus d'un demi-citron et 10 ml de miel pur.

- Faites chauffer 250 ml de lait, ajoutez un peu de miel et trois ou quatre tours de moulin à poivre – le poivre désinfectera tout en calmant la douleur. Buvez trois fois par jour.

- Mélangez 10 ml de cidre de pomme dans un verre d'eau chaude. Prenez-en une grosse gorgée, gargarisez-vous, puis recrachez. Prenez une deuxième gorgée, mais cette fois-ci avalez-la. Répétez les deux étapes avec un verre plein jusqu'à ce qu'il soit vide, et ce, une fois par heure. Au bout de trois ou quatre heures, le mal devrait être chose du passé !

- Épluchez une pomme de terre et râpez-la finement. Ensuite, faites cuire avec une quantité égale d'eau. Laissez tiédir et appliquez en cataplasme sur la gorge. Gardez le plus longtemps possible.

- Diluez 5 ml de sel dans un verre d'eau chaude et gargarisez-vous à petites gorgées jusqu'à ce que le verre soit vide. Vous devriez sentir votre gorge plus normale peu de temps après l'action.

- Faites tremper une poignée de raisins secs dans 750 ml d'eau pendant une quinzaine de minutes. Jetez ensuite les raisins dans 1 litre d'eau froide, puis faites bouillir 15 minutes. Buvez cette eau dans la journée. Recommencez aussi longtemps que nécessaire.

Gorge [infection de la]

- Pour soulager une infection de la gorge, gargarisez-vous trois fois par jour avec du jus de raisin pur.

- Versez 15 ml de miel et le jus de deux citrons dans 125 ml d'eau chaude. Gargarisez-vous trois fois par jour avec cette solution.

Gorge [obstruction de la]

- Si une arête reste coincée dans votre gorge, avalez un œuf cru. Si l'arête est de bonne dimension, prenez la précaution de manger un morceau de mie de pain pour protéger les intestins.

- Si vous avalez un objet aigu par inadvertance – quoique cela survienne plus souvent chez les enfants –, mangez des pommes de terre pilées et de la mie de pain : cela enrobera le corps étranger et l'empêchera de blesser les intestins.

Goutte

- Jetez 10 g de feuilles d'artichaut dans 250 ml d'eau bouillante. Laissez infuser une dizaine de minutes, puis filtrez. Buvez-en de trois à quatre tasses, à petites gorgées, tout au long de la journée. Répétez au besoin.

- Jetez 15 g de feuilles de bouleau écrasées dans 250 ml d'eau bouillante. Laissez infuser une dizaine de minutes, puis filtrez. Buvez-en de trois à quatre tasses, à petites gorgées, tout au long de la journée. Répétez au besoin.

Grippe

- Pour «casser» la grippe dès l'apparition des premiers symptômes, diluez 10 ml de raifort dans 250 ml d'eau chaude et buvez à petites gorgées.

- Pour «casser» la grippe dès l'apparition des premiers symptômes, prenez un bain chaud, puis frottez-vous le corps avec de l'eau vinaigrée tiède. Portez un pyjama chaud et dormez sous les couvertures.

- Pour soulager une grippe, faites macérer un gros oignon haché finement dans 500 ml d'eau, puis buvez. Effet garanti !

- Mélangez 250 ml de jus d'orange à 125 ml d'eau bouillante, 50 ml de rhum et 30 ml de sucre glace. Buvez le soir au coucher.

- Écrasez deux gousses d'ail et faites-les bouillir cinq minutes dans 250 ml de lait. Buvez très chaud. Répétez au besoin.

- Mélangez 250 ml de gin, 100 ml de miel liquide, 10 ml de gomme de sapin et 10 ml de gomme de pin. Conservez dans un bocal hermétique. Brassez bien et prenez-en 30 ml par jour.

- Diluez 10 g de thym et 5 ml de miel liquide dans 250 ml d'eau chaude. Buvez-en trois tasses par jour jusqu'à la disparition des symptômes de la grippe.

- Dans 1 litre d'eau bouillante, ajoutez six gouttes d'huile essentielle d'eucalyptus, mélangez bien et faites des inhalations, une fois par jour, pendant cinq minutes, la tête penchée sur le récipient et recouverte d'une serviette épaisse.

- Un massage de la plante des pieds avec des demi-gousses d'ail calme rapidement les symptômes du rhume et, de façon plus générale, de tous les types de refroidissements.

Haleine [mauvaise]

- Pour chasser la mauvaise haleine, croquez quelques feuilles de persil cru ou des grains de café.
- Pour rafraîchir l'haleine, il suffit de mâcher quelques graines de cardamome.
- Pour rafraîchir l'haleine, mâchez quelques graines de carvi.
- Un gargarisme fait de jus de citron frais et d'eau chaude arrive généralement à chasser la mauvaise haleine.
- Faites bouillir quelques graines de cardamome pendant environ cinq minutes dans 250 ml d'eau. Filtrez, laissez tiédir et utilisez comme gargarisme.
- Jetez 10 g de clous de girofle dans 250 ml d'eau bouillante. Laissez mijoter une trentaine de minutes. Filtrez et ajoutez trois gouttes d'huile essentielle de girofle. Gargarisez-vous deux fois par jour, matin et soir.

- Faites bouillir 250 ml de bleuets dans 500 ml d'eau pendant une dizaine de minutes. Filtrez et utilisez comme gargarisme contre la mauvaise haleine – ce gargarisme est aussi efficace contre les infections de la gorge ou des muqueuses de la bouche.

Hémorroïdes

- Jetez un poireau coupé en morceau dans 1 litre d'eau bouillante. Couvrez et laissez mijoter pendant une trentaine de minutes. Filtrez. Buvez une tasse de cette mixture quatre fois par jour. Répétez jusqu'à la guérison.
- Épluchez un gros oignon et faites-le cuire au four 15 minutes. Réduisez-le ensuite en purée. Appliquez localement chaque jour au coucher.
- Hachez un oignon frais et mélangez-le avec une grosse noix de beurre. Appliquez sur la zone affectée pendant une demi-heure. Séchez ensuite avec du coton hydrophile. Répétez deux fois par jour, aussi longtemps que nécessaire.
- Un cataplasme fait de raisins frais est excellent pour lutter contre les hémorroïdes.
- Préparez une infusion de fleurs de camomille, laissez tiédir et faites-vous des bains de siège pendant 10 minutes, deux fois par jour.
- Une gousse d'ail pelée et enduite d'huile d'amande douce fait un excellent suppositoire contre les hémorroïdes.
- Pour diminuer la douleur liée aux hémorroïdes, faites bouillir 45 ml de cardamome dans 750 ml d'eau pendant 20 minutes et utilisez en compresse sur la zone affectée.

- Pour soulager la douleur liée aux hémorroïdes, faites tremper des branches de cerfeuil dans un peu d'eau chaude, retirez, enveloppez dans un carré d'étamine et appliquez sur la zone douloureuse.
- Jetez 30 g de fleurs de camomille dans 250 ml d'eau bouillante et laissez de deux à trois minutes. Retirez du feu et laissez reposer pour refroidir. Filtrez. Versez les résidus de camomille dans une bassine d'eau. Prenez un bain de siège.

Hoquet

- Pour faire passer le hoquet, remplissez à moitié un verre d'eau, puis recouvrez-le d'un papier-mouchoir plié en deux. Buvez ensuite l'eau d'un trait à travers le papier-mouchoir.
- Sucez un carré de sucre imbibé de vinaigre.
- Croquez des grains de poivre.
- Mâchez quelques graines de carvi.
- Bouchez vos oreilles et avalez un grand verre d'eau d'un trait – évidemment, vous n'y parviendrez qu'avec l'aide d'une autre personne.
- Serrez avec force, entre vos mains, un objet en acier.

Infection urinaire

- Si vous êtes sujet à souffrir d'infections urinaires ou autres troubles liés à la vessie, il suffit de boire, chaque jour, 125 ml de jus de canneberge. Cette habitude doit se prendre dans un but préventif.
- Dans 1 litre d'eau, faites bouillir de 25 g à 50 g de bette à carde découpée en morceaux pendant une quinzaine de minutes. Laissez tiédir. Filtrez. Buvez-en deux verres par jour.
- Faites macérer quatre oignons hachés finement dans 1 litre de vin blanc pendant 24 heures, puis filtrez. Buvez-en 30 ml matin et soir pendant deux semaines.
- Buvez 125 ml d'eau tiède additionnée de 3 g de bicarbonate de sodium avant chaque repas pendant deux semaines.
- Les canneberges, en cataplasme sur l'abdomen, soulagent les maux reliés aux problèmes urinaires.

- Dans de l'huile d'olive, faites mijoter, jusqu'à cuisson complète, six poireaux. Égouttez et appliquez le mélange chaud sur l'abdomen pour soulager les infections urinaires.
- Un cataplasme de groseilles écrasées appliqué sur l'abdomen s'avère un excellent traitement pour lutter contre tous les types de problèmes urinaires.
- Dans 250 ml de lait, faites mijoter 30 ml de graines de courge. Filtrez et appliquez en compresse sur l'abdomen.
- Hachez finement un navet avec sa pelure. Enveloppez-le dans un carré d'étamine et appliquez en cataplasme sur l'abdomen pour soulager les douleurs.

Insomnie

- Si vous souffrez d'insomnie, essayez la boisson suivante : dans 250 ml d'eau bouillante, faites dissoudre 30 ml de gelée de groseilles.
- De la gelée de pommes (15 ml) dans une tasse d'eau chaude constitue une boisson lénifiante en même temps que régulatrice intestinale.
- Pour contrer l'insomnie, préparez-vous une tisane ou une tasse d'eau chaude additionnée de quelques gouttes d'huile essentielle de céleri. Cette boisson s'avère toujours un calmant très puissant.
- Faites légèrement chauffer 250 ml de jus de papaye et buvez juste avant de vous mettre au lit.
- Fabriquez-vous un cataplasme avec de la chair de papaye ou encore avec les résidus de ce fruit lorsque vous en ferez du jus à la centrifugeuse, et appliquez sur le front pour chasser les insomnies.

- Faites macérer 5 g de valériane dans 250 ml d'eau froide pendant 12 heures. Filtrez et buvez, chaud ou froid, une heure au moins avant d'aller au lit.
- Faites infuser 3 g de fleurs de tilleul dans 250 ml d'eau bouillante. Filtrez et buvez une trentaine de minutes avant d'aller au lit.
- Une trentaine de minutes avant d'aller au lit, mangez un quartier de pomme.
- Une trentaine de minutes avant d'aller au lit, buvez un verre de lait tiède additionné de 15 ml de miel liquide.

Libido

Pour réveiller les ardeurs de votre partenaire et... les vôtres!

- Faites macérer pendant une heure quelques gousses d'ail hachées, mêlées à un peu de coriandre fraîche, dans 250 ml de vin rouge. Buvez quotidiennement.
- Offrez-lui une tasse de ce petit vin aphrodisiaque et buvez l'autre tasse, bien sûr! Mélangez 500 ml de vin rouge à 5 ml d'anis vert. Faites chauffer sans faire bouillir. Filtrez et buvez chaud.
- Mélangez 250 ml de vin rouge, un bâton de cannelle et une pincée de girofle. Faites chauffer, mais retirez du feu avant ébullition. Filtrez et buvez chaud.
- Écrasez des câpres et incorporez-les à du beurre. Tartinez des canapés et décorez-les de câpres entières. Servez à votre partenaire en guise de petit gueuleton, avec un verre de vin. Un vieux proverbe dit: «Quand la câpre n'agit plus, l'homme doit renoncer à Vénus.»

Menstruations

- Pour soulager des menstruations douloureuses, plongez trois à quatre feuilles de chou fraîches dans 1 litre d'eau. Faites bouillir 20 minutes, puis trempez-y un linge. Appliquez en compresse sur le ventre et gardez deux heures.

- Portez à ébullition 750 ml d'eau froide dans laquelle vous aurez jeté deux poignées de cerfeuil frais. Réduisez le feu et faites mijoter pendant une trentaine de minutes. Retirez les herbes et ajoutez huit gouttes d'huile essentielle de cerfeuil. Trempez un linge dans le liquide chaud ou tiédi et appliquez en compresse sur l'abdomen.

- Pour soulager les douleurs menstruelles, les maux et les crampes abdominales ou stomacales, préparez cette huile : versez 5 ml d'huile essentielle d'anis vert dans 60 ml d'huile d'amande douce et mélangez. Versez-en d'abord un peu dans le creux de votre paume, puis massez-vous le ventre.

- Faites infuser 20 g de feuilles de persil séché dans 1 litre d'eau bouillante pendant 10 minutes. Buvez à intervalles réguliers.

- Une infusion d'aneth toutes les trois ou quatre heures favorise le soulagement des douleurs menstruelles.
- Pour soulager les douleurs dues aux règles, buvez deux verres de vin par jour, deux jours avant les menstruations et les jours de douleur. Le vin liquéfie le sang et redonne à l'organisme une partie du fer qu'il perd lors du flux menstruel.
- Aux femmes en période de ménopause ou de préménopause, il est conseillé de faire un usage régulier et quotidien de la camomille (associée à la sauge), car elle semble contribuer à diminuer de façon importante les importunes bouffées de chaleur. Buvez quatre tasses par jour de l'infusion suivante (au moins 15 minutes avant les repas) : versez 250 ml d'eau bouillante sur cinq fleurs de camomille et laissez infuser une quinzaine de minutes. Ajoutez trois gouttes d'huile essentielle de sauge et dégustez.

Migraine/mal de tête

- Hachez un ou deux oignons, puis placez-les sur une gaze. Recouvrez d'un linge de coton, puis appliquez-le sur le front. Gardez en place le plus longtemps possible.
- Écrasez une tasse de cerises dénoyautées et enveloppez la purée obtenue dans un coton fin. Appliquez sur le front, les tempes et à la base du cou.
- Appliquez sur le front et les tempes quelques tranches de citron pour soulager la douleur associée aux migraines et aux maux de tête en général. Faites tenir avec un diachylon. Gardez cette compresse une heure et répétez au besoin.
- Sur un linge à vaisselle propre déplié, placez cinq ou six tranches de pomme d'environ 5 cm d'épaisseur et saupoudrez-

les de sel de table. Repliez le linge. Allongez-vous et posez-le sur votre front pendant une vingtaine de minutes ou jusqu'à ce que la douleur disparaisse.

- Faites ramollir deux oignons dans de l'eau bouillante, puis laissez tiédir. Détachez quelques couches de pelures et posez-les sur votre front, en les maintenant en place toute une nuit à l'aide d'un bandage de gaze.

- Pour lutter contre les migraines et les maux de tête, plongez une poignée de feuilles de basilic frais dans de l'eau chaude, laissez tremper une ou deux minutes, retirez et appliquez en cataplasme sur le front, les tempes et la nuque. Faites tenir à l'aide d'un foulard pendant une quinzaine de minutes.

- Sur un linge à vaisselle propre déplié, placez une dizaine de feuilles de chou, puis repliez le linge. Allongez-vous et posez-le sur votre front pendant une vingtaine de minutes ou jusqu'à ce que la douleur disparaisse.

- Pour soulager maux de tête et migraines, prenez, toutes les quatre heures, 15 ml de miel dans lequel vous aurez versé cinq gouttes d'huile essentielle de camomille.

- Pour soulager la douleur des migraines causées par la sinusite, consommez, au besoin, un verre de jus d'orange dans lequel vous ajouterez le jus d'un citron frais.

Nausée

- Jetez le jus d'un quartier de citron dans 250 ml d'eau bouillante. Laissez refroidir un peu et buvez à petites gorgées.
- Versez 30 ml de vinaigre de cidre dans 200 ml d'eau. Buvez-en le matin avant de déjeuner et le midi avant de dîner.
- Jetez 15 g de feuilles de menthe dans 250 ml d'eau bouillante. Laissez infuser une dizaine de minutes, puis filtrez. Buvez-en de trois à quatre tasses par jour.

Névralgie

Broyez finement une poignée de persil frais pour en extraire le suc et mélangez ensuite avec 50 ml d'alcool à 90°. Massez la zone endolorie deux fois par jour.

Nez [saignement de]

Voici deux conseils pour faire cesser un saignement de nez.

- Introduisez une ouate imbibée de jus de citron dans la narine.
- Asseyez-vous, penché vers l'avant, la bouche ouverte et pincez-vous le nez pendant une dizaine de minutes, avant de relâcher progressivement la pression. Appliquez ensuite un linge glacé pour resserrer les vaisseaux sanguins.

Odeur corporelle

Un déodorant ou un antisudorifique ? Les déodorants servent à masquer les odeurs de transpiration des aisselles ; ils laissent sur la peau des agents antibactériens qui détruisent les bactéries responsables des odeurs. Si votre problème d'odeur est très prononcé, un antisudorifique conviendra mieux, car il contient un produit (le chlorhydrate d'aluminium) qui parvient à bloquer le processus de transpiration. Il existe également des produits qui combinent les deux substances.

La transpiration ou la sueur est un phénomène tout à fait normal du corps humain. Contrairement à ce qu'on pense, elle fait partie du système de refroidissement du corps et permet à ce dernier de se maintenir à la bonne température. La sueur sécrétée par les glandes sudoripares sur l'ensemble du corps est inodore et composée seulement d'eau et de sel. En revanche, les désagréments de la transpiration peuvent être associés à certaines parties du corps où la sueur est composée de lipides et des protéines ; les cheveux, les pieds, les aisselles, les parties génitales, les fesses, l'anus, les seins sont des parties très sensibles et contiennent un nombre important de bactéries qui se nourrissent des nutriments. En se dégradant, ceux-ci dégagent une mauvaise odeur.

On distingue deux sortes de transpiration : la transpiration physiologique, laquelle est surtout liée à l'activité physique telle que le sport, la marche, l'effort en général ; elle est composée en grande quantité d'eau et de sel. Cette transpiration, bien qu'elle soit abondante, ne dégage pas d'odeur. Il y a aussi la transpiration émotionnelle : comme son nom l'indique, elle est émise à la suite d'une sensation émotionnelle : le stress, l'anxiété, l'inquiétude... La quantité de ce genre de transpiration est peu abondante, mais elle joue un rôle primordial dans l'apparition des odeurs ; sa composition, riche en matières grasses, les lipides, et les protéines favorisent la prolifération des bactéries.

Soulagement

- Le bicarbonate de sodium est le déodorant le moins cher qui existe ! Ajoutez simplement une partie de bicarbonate à une partie de fécule de maïs (ou de fécule de riz). Vous pouvez aussi joindre une herbe sèche d'une de vos fragrances favorites. Vaporisez la mixture sous vos aisselles tout de suite après un bain ou une douche.

- Le vinaigre est un protecteur efficace contre les bactéries et les odeurs corporelles. Mélangez soit du vinaigre blanc, soit du vinaigre de cidre de pomme à une quantité égale d'eau. Laissez la mixture à l'air libre une dizaine de minutes jusqu'à ce que l'odeur du vinaigre disparaisse. Versez ensuite dans un flacon fermant hermétiquement puis, au moment de l'utilisation, imbibez légèrement une boule de coton et tamponnez sous les aisselles.

- Prenez un bain d'eau froide pendant une trentaine de minutes : il ralentira le processus de transpiration durant environ trois heures. Cette méthode peut être utile dans les périodes de stress.

Prévention

Combattre les odeurs du corps est une affaire d'hygiène qui commence par un changement comportemental ; si ces odeurs persistent, l'avis d'un médecin est fortement recommandé.

- Lavez-vous les mains régulièrement avec un bon savon, surtout dans les parties favorisant la prolifération des bactéries.
- Hydratez-vous bien après une séance de sport pour compenser la quantité d'eau perdue lors des exercices.
- Prenez au moins trois douches par jour, surtout en été, alors que la transpiration est élevée.
- Épilez-vous les aisselles, car les poils retiennent l'humidité et favorisent la prolifération des bactéries.
- Abstenez-vous de consommer certains aliments tels que les mets épicés, le poisson, le café, le thé, le cola ou le chocolat.
- Séchez-vous correctement. La transpiration et l'humidité représentent un milieu rêvé pour les bactéries et les champignons ; accordez une attention particulière aux orteils et aux différents replis de la peau.
- Quand la peau est bien sèche, appliquez de la poudre pour bébé, du bicarbonate de sodium ou de la fécule de maïs sous les aisselles et entre les orteils.
- Si le stress vous fait transpirer, apprenez à le gérer par des techniques de relaxation ou des moments de repos.

- Portez des vêtements propres et utilisez les tissus qui absorbent mieux la sueur; préférez les matières naturelles (coton, laine, lin) et mettez des vêtements amples.

- Choisissez des chaussures en cuir, matière qui favorise l'évaporation de la sueur. Portez des sandales à bout ouvert aussi souvent que possible. Ne portez pas les mêmes souliers deux jours de suite; alternez vos paires pour leur laisser le temps de bien sécher.

Ongles

- Mélangez 30 ml d'huile d'olive tiède et 15 ml de jus d'un citron, et plongez vos ongles dans cette préparation pendant quelques minutes, avant de les masser soigneusement.

- Pour donner du tonus aux ongles mous ou cassants, enduisez-les, matin et soir, de teinture d'iode décolorée. Répétez pendant une semaine.

- Chaque jour, matin et soir, plongez vos ongles dans un jus de citron pendant une dizaine de minutes. Faites une cure sur une durée de 10 à 15 jours.

- Voici un remède très simple pour venir en aide aux ongles abîmés. Passez deux feuilles de chou à la centrifugeuse; faites de même avec une demi-pomme de terre. Mélangez bien le tout. Dans un bol, mettez de 10 à 15 ml de farine d'avoine et, délicatement, versez petit à petit le mélange obtenu préalablement afin d'obtenir une sorte de crème. Appliquez sur et sous les ongles.

- Pour renforcer vos ongles, coupez un morceau d'oignon et, trois fois par jour, à intervalles réguliers, frottez-le sur vos ongles.

Ongle incarné

L'ongle incarné, voilà une petite misère parfois très douloureuse que les civilisations à pieds nus ignorent car – eh oui ! – la chaussure est en effet la principale responsable de ce problème. La pointe trop serrée comprime le gros orteil et l'ongle s'enfonce peu à peu dans les parties molles. Mais quelques précautions de base suffisent à en prévenir l'apparition.

- Ne coupez pas vous-même l'ongle pour isoler la partie incarnée, car celle-ci continuera de toute façon à s'enfoncer.
- Évitez les bains trop chauds.
- Évitez la transpiration excessive ; arrêtez le sport avec chaussures le temps des soins.
- Portez des chaussures confortables, remettez à plus tard l'adaptation à des chaussures neuves.
- Supprimez les chaussures à talons dès le début de l'incarnation. En s'écrasant vers l'avant, le gros orteil expose dangereusement son ongle.

Oreille [problèmes d']

Tous ces petits problèmes qui sont liés aux oreilles sont très dérangeants. Sans avoir besoin d'aller consulter un médecin, si le problème n'est pas grave, voici quelques conseils et trucs qui peuvent vous être utiles.

- Le cérumen – la cire – est une sécrétion de l'oreille qui la protège contre la formation de champignons et de bactéries. Sans nettoyage, il s'accumule et peut causer des problèmes d'audition, des bourdonnements et parfois même des étourdissements. Pour éviter que cela se produise, imbibez d'huile d'olive une petite boule de ouate, puis placez-la dans votre oreille pendant toute une nuit. Le matin, à votre réveil, enlevez la ouate et rincez l'oreille avec du jus de citron dilué dans de l'eau. Si, après trois à cinq jours, ça ne va pas mieux, injectez-vous de l'eau tiède dans les oreilles à l'aide d'une petite poire.

- Si vous avez une oreille bouchée, mettez-y une ouate imbibée d'huile d'olive avant d'aller vous coucher. Le matin, rincez avec un peu de vinaigre. Répétez jusqu'à ce que le problème soit réglé.

- À l'aide d'un compte-gouttes, versez trois ou quatre gouttes de vodka dans votre oreille lorsque celle-ci vous fait souffrir ; la douleur devrait disparaître dans les cinq minutes suivantes.

- En cas de maux d'oreille, faites chauffer un peu d'avoine mélangée à une quantité égale de blé ou de son dans une poêle pendant deux à trois minutes. Versez ensuite dans un petit sachet de tissu et appliquez directement sur l'oreille. Vous pouvez faire tenir ce cataplasme grâce à un foulard ou à un ruban.

- Faites tremper une gousse d'ail hachée finement dans de l'huile d'olive et gardez au réfrigérateur. Quand un mal d'oreille vous importune, versez une ou deux gouttes dans l'oreille avec un compte-gouttes.

- Deux gouttes de jus de citron pur dans une oreille malade (par exemple, dans un cas d'otite) atténue la douleur.

- Hachez finement une gousse d'ail et placez-la dans un long morceau de gaze que vous roulerez pour former en quelque sorte un petit bâton. Introduisez-le dans le conduit auditif en le laissant dépasser un peu pour le retirer sans peine. Renouvelez matin, midi et soir.

- Si l'oreille vous pique, tournez votre tête de telle sorte que l'oreille affectée soit orientée vers le haut, puis remplissez-la avec du cidre de pomme. Laissez la solution agir pendant environ 30 secondes, puis tournez votre oreille de l'autre côté de façon qu'elle se vide. Asséchez-la avec un linge propre.
- Si l'oreille est bouchée, tournez votre tête de telle sorte que l'oreille affectée soit orientée vers le haut, puis remplissez-la avec du peroxyde. Laissez la solution agir pendant environ 30 secondes, puis nettoyez-la délicatement avec un coton-tige. Asséchez-la ensuite avec un linge propre.
- En avion, le décollage et l'atterrissage sont très durs pour les oreilles, car elles ont tendance à se boucher à cause de la pression. Pour éviter que cela vous arrive, mâchez de la gomme ou sucez un bonbon; si elles se sont bouchées, bâillez pour les déboucher.
- Retenez aussi que tout ce qui procure de la chaleur soulage les douleurs qui se manifestent dans les oreilles. Une façon simple de profiter de cet effet consiste à utiliser un séchoir à cheveux, à le régler à la position «chaud», puis à diriger le jet d'air directement vers votre oreille à une distance approximative d'une trentaine de centimètres.

Otite

Pour soulager la douleur due à une otite, faites bouillir un oignon pendant une quinzaine de minutes et placez-le dans un bas de coton blanc pendant qu'il est encore chaud. Appliquez-le contre la zone affectée.

Peau [soins de la]

- Pour protéger votre peau pendant les mois d'hiver, coupez un demi-concombre en morceaux et faites-les bouillir dans 250 ml d'.eau pendant une dizaine de minutes. Laissez refroidir, puis filtrez. Conservez l'eau dans un bocal hermétique. Appliquez chaque matin sur la peau du visage.

- Si vous avez une peau fragile, faites macérer 30 g de poudre d'amande dans 250 ml d'eau. Filtrez, puis ajoutez 15 ml de miel liquide. Conservez dans une bouteille hermétique. Appliquez chaque matin sur la peau du visage.

- Si des rougeurs apparaissent sur votre visage, mélangez, en parts égales, du jus extrait d'un melon d'eau et celui d'un concombre. Appliquez matin et soir sur la peau.

- Pour combattre la peau rugueuse des genoux et des coudes, frottez-les avec un mélange en parts égales de sel de mer et d'huile d'olive. Massez légèrement la zone affectée pendant quelques minutes, puis rincez bien.

- Pour combattre la peau rugueuse des genoux et des coudes, frottez-les avec le jus d'un citron fraîchement pressé.

Peau [infection de la]

- Contre les problèmes de peau en général, frottez l'endroit touché avec des gousses d'ail coupées en deux.
- Dans le cas d'une infection cutanée, appliquez une compresse d'eau chaude additionnée de sel sur la zone affectée pendant une quinzaine de minutes, puis frictionnez-la avec du vinaigre de cidre pendant environ cinq minutes. Répétez au besoin.
- Dans le cas d'une infection cutanée, imbibez un coton d'une infusion de camomille et appliquez-le sur la zone affectée pendant une quinzaine de minutes. Répétez au besoin.
- Dans le cas d'une infection cutanée, imbibez un coton d'une infusion de tilleul et appliquez-le sur la zone affectée pendant une quinzaine de minutes. Répétez au besoin.

Pellicules

Les pellicules sont de fines squames de couleur blanche provenant du cuir chevelu. Elles sont le signe d'une mycose à ce niveau et ne sont pas contagieuses. Il faut savoir que les hommes ont plus tendance à avoir des pellicules que les femmes, car ceux-ci produisent naturellement plus de sébum.

- Faites bouillir des épinards et faites-en un cataplasme que vous appliquerez sur votre tête. Attendez une dizaine de minutes, puis frottez vos cheveux comme si vous vous faisiez un shampoing. Répétez pendant quelques jours.

- Massez-vous le cuir chevelu avec une poignée de sel de mer. Lavez-vous ensuite les cheveux comme à l'habitude. Répétez deux ou trois fois par semaine jusqu'à la disparition du problème.

- Enduisez votre cuir chevelu d'huile d'arachide tiède, puis appliquez du jus de citron frais. Faites bien pénétrer le mélange en massant le cuir chevelu du bout de vos doigts. Lavez-vous ensuite les cheveux comme à l'habitude. Répétez une fois par semaine jusqu'à la disparition du problème.

- Passez une douzaine de feuilles d'ortie fraîches au mélangeur, puis ajoutez 30 ml d'huile d'olive. Mélangez soigneusement, puis appliquez ce masque sur vos cheveux en massant le cuir chevelu. Laissez agir une dizaine de minutes, rincez et lavez-vous ensuite les cheveux comme à l'habitude.

- Mélangez un yogourt à quelques gouttes de citron et appliquez cette préparation sur l'ensemble de votre chevelure. Laissez agir une dizaine de minutes, rincez et lavez-vous ensuite les cheveux comme à l'habitude.

- Mouillez-vous les cheveux, puis appliquez de l'huile d'olive tiédie. Recouvrez votre tête d'une serviette chaude mais sèche – placez la serviette au micro-ondes quelques secondes –, et laissez agir une trentaine de minutes avant de vous faire votre shampoing habituel. Répétez une fois par semaine jusqu'à la disparition du problème.

- Versez du jus de citron dans vos cheveux et frictionnez-vous en mouvements lents, du bas de la nuque vers le sommet de la tête, pendant une dizaine de minutes. Répétez quotidiennement aussi longtemps que nécessaire.

- Après que vous vous êtes lavé les cheveux, broyez une aspirine et mêlez-la à votre eau de rinçage.

Prévention

- Massez doucement votre cuir chevelu lorsque vous vous lavez les cheveux et rincez en profondeur avant de sécher.
- Ne grattez pas votre cuir chevelu avec une brosse ou un peigne.
- Ne vous faites pas de permanente, ni décolorer ou colorer les cheveux ; les produits chimiques utilisés pourraient irriter votre cuir chevelu.
- Résistez à la tentation de gratter votre cuir chevelu lorsqu'il vous démange. Vous pourriez aggraver votre état.

Pieds

- Pour soulager les pieds douloureux, faites bouillir pendant une heure (dans une quantité d'eau suffisante pour un bain de pieds) un pied de céleri complet, feuilles et branches, préalablement débarrassé de la terre qui pourrait s'y trouver. Filtrez. Laissez tiédir. Trempez vos pieds dans cette décoction pendant 15 minutes, au moins deux fois par jour en cas de douleur permanente ou au besoin lorsque les pieds ont eu à subir un effort important.
- Pour relaxer les pieds fatigués, pour soulager la douleur imputable aux oignons ou les pieds d'athlète, ou encore tout simplement pour chasser les mauvaises odeurs, faites chauffer 4 litres d'eau avec deux bottes complètes de thym frais. Laissez mijoter environ 15 minutes, retirez du feu et filtrez. Laissez tiédir un peu et faites-y tremper vos pieds pendant une trentaine de minutes.
- Une corne trop épaisse peut se fendiller et créer des crevasses douloureuses. Dans ce cas, vous pouvez masser vos

pieds d'huile d'amande douce en laissant une couche d'huile pour hydrater vos talons et en enfilant ensuite une paire de bas pour la nuit. Répétez au besoin.

- Si vous avez des démangeaisons aux pieds, enduisez-vous la plante des pieds de vaseline et recouvrez-les de fines tranches d'ail. Enveloppez ensuite les pieds dans une gaze, puis dans un carré de coton et gardez toute la nuit.

- Si vous transpirez facilement des pieds, talquez-les après avoir pris une douche, puis asséchez-les bien. Idéalement, il ne faudrait pas non plus porter la même paire de chaussures deux jours consécutifs puisqu'il faut au moins 24 heures à ces dernières pour s'aérer parfaitement.

- Pour contrer la transpiration des pieds, prenez un bain de pieds dans de l'eau additionnée de quelques gouttes de vinaigre. Répétez trois ou quatre jours de suite.

- Pour contrer la transpiration des pieds, faites infuser deux ou trois sachets de thé dans 2 litres d'eau. Laissez refroidir, puis prenez un bain de pieds pendant une vingtaine de minutes. Séchez ensuite soigneusement vos pieds.

Pour soulager le problème de pieds d'athlète

- Prenez 60 g de bicarbonate de sodium et mettez suffisamment d'eau pour en faire une pâte. Après vous être bien nettoyé les pieds, appliquez la pâte et laissez agir pendant une quinzaine de minutes. Rincez-les et séchez-les bien, avant de les saupoudrer légèrement de fécule de maïs. Répétez deux ou trois fois par semaine.

- Massez-vous doucement les pieds avec quelques gouttes d'huile essentielle de camomille. Répétez quotidiennement.

- Vous pouvez aussi faire tremper vos pieds une vingtaine de minutes dans un mélange fait de 500 ml de vinaigre de cidre et de 125 ml d'eau. Répétez au besoin.

Piqûre d'insecte

- Pour soulager une piqûre d'insecte, étendez de la boue sur celle-ci.
- Une cigarette allumée près d'une piqûre (mais pas assez pour brûler la peau, bien sûr!) la guérit très vite.
- Sur une piqûre d'insecte, appliquez des tranches de kiwi. Faites tenir avec des bandelettes de tissu. Changez le pansement toutes les deux heures.
- Mélangez 15 ml de bicarbonate de sodium à suffisamment d'eau pour obtenir une substance pâteuse. Appliquez cette dernière sur la piqûre.
- La douleur due à une piqûre d'insecte sera considérablement atténuée si vous appliquez une tranche épaisse de citron directement sur la zone touchée.
- Broyez une petite quantité de persil frais pour en extraire le suc, puis appliquez-le sur la piqûre en faisant un massage doux. Répétez l'opération si nécessaire.
- Broyez quelques feuilles d'oseille fraîches et massez doucement la zone piquée pendant quelques minutes.
- Appliquez de la chair mûre de banane sur la zone piquée.
- Écrasez une fleur de géranium avant de l'appliquer sur l'irritation laissée par la piqûre.
- L'oignon est radical pour atténuer l'enflure d'une piqûre de moustique. Mettez du jus d'oignon frais sur la piqûre et

laissez une tranche d'oignon sur la zone pendant environ cinq minutes. Répétez l'opération si nécessaire.

- Si le dard de l'insecte est resté enfoncé dans votre peau, tenez une compresse de glace contre la zone affectée.
- Pour retirer facilement et sans douleur un dard qui est resté enfoncé dans votre peau, faites immédiatement tremper la zone affectée dans de l'eau chaude très savonneuse pendant 5 à 10 minutes.

Prévention

- Mangez un ou deux oignons crus par jour, et aucun moustique ne voudra faire de vous sa victime!
- Ajoutez quotidiennement 30 ml de levure de bière à vos repas, et les moustiques ne vous causeront plus aucun problème.
- La citronnelle est reconnue comme un produit par excellence pour éloigner les moustiques. Mettez-en sur votre peau, ou faites-en brûler à proximité de l'endroit où vous vous tenez.

Plaie

- Grâce à son pouvoir de cicatrisation et de régénération des cellules, l'ail haché est excellent en application directe sur les piqûres d'insectes, les morsures d'animaux (car il est un contre-poison et un antidote naturel), les plaies suppurantes, les cors et les verrues.
- Pour soigner les plaies cutanées diverses, versez quelques gouttes de jus de citron pur sur la blessure ou l'écorchure, puis pansez.

- Pour un soulagement rapide, appliquez sur l'écorchure, l'égratignure ou la coupure des tranches de melon.
- Pour favoriser la cicatrisation d'une blessure qui semble vouloir tarder à guérir, appliquez des tranches de papaye (pelée), faites tenir à l'aide d'un pansement et laissez agir une heure ou deux. Répétez trois fois par jour jusqu'à une cicatrisation complète.
- Faites macérer un poireau grossièrement haché dans 250 ml de vinaigre de cidre de pomme pendant 24 heures. Filtrez et utilisez le poireau en cataplasme sur la région affectée.
- Pour favoriser la cicatrisation des plaies et la guérison des ulcères, appliquez des compresses de jus de céleri pur sur la région affectée.

Points noirs

Appliquez de fines rondelles de navet sur les points noirs et laissez agir pendant une trentaine de minutes. Répétez jusqu'à la disparition des comédons et continuez le traitement, de façon préventive, à raison d'une fois par semaine.

Pression artérielle

La pression artérielle correspond à la pression du sang sur les artères. Elle résulte de deux mesures : la pression maximale lorsque le cœur se contracte (systole) ; la pression minimale lorsque le cœur se décontracte (diastole). La pression artérielle trop élevée est la cause de plusieurs problèmes chez beaucoup d'individus. Certaines études démontrent que les végétariens ont une pression artérielle moins élevée que les gens qui consomment de la viande. On pourrait aussi prouver à quel point la cigarette, l'alcool et les excès de nourriture peuvent l'augmenter.

Prévention

- Mangez de l'ail et des oignons crus chaque jour, car ils contiennent de l'allicine et du sélénium, des composés qui aident au contrôle de l'hypotension. Si vous n'en aimez pas le goût, il existe, contrairement à l'époque de nos grands-mères, des comprimés d'ail et d'oignon. Les magasins d'aliments naturels vous en proposeront une grande variété. Suivez alors les indications fournies sur l'étiquette.

- Un kiwi par jour aide à vous garder loin de l'hypertension. Le petit fruit à écorce duveteuse est riche en potassium et s'avère un diurétique 100 % naturel ! Deux raisons qui devraient inciter les gens qui font de l'hypertension à en consommer, comme d'ailleurs aussi tous les autres fruits riches en potassium tels que les bananes, les légumes verts feuillus crus ou cuits à la vapeur, les oranges, les pommes de terre épluchées et les graines de tournesol.

- Voici quelques autres petits conseils : ne fumez pas et n'utilisez aucun produit du tabac ; limitez votre consommation d'alcool et de sel ; perdez du poids si vous faites de l'embonpoint ; faites de 30 à 60 minutes d'exercice d'intensité modérée, de quatre à sept jours par semaine.

Des chercheurs ont trouvé que l'état d'esprit émotionnel affecte directement la tension artérielle. Lorsque vous vous sentez heureux, votre cœur se contracte et votre pression est plus basse ; à l'inverse, lorsque vous êtes inquiet ou anxieux, votre cœur se décontracte et votre pression augmente. Eh oui ! être heureux vous garde en santé !

Refroidissement

Jetez cinq clous de girofle, un demi-bâton de cannelle et une branche de thym dans 500 ml d'eau bouillante. Faites bouillir environ cinq minutes, puis filtrez. Ajoutez 15 ml de miel et le jus d'un citron. Buvez chaud ou tiède au long de la journée.

Respiration [problèmes de]

Les difficultés de respiration qui surviennent lors des périodes de forte pollution atmosphérique ou encore d'allergies se règlent habituellement par eux-mêmes lorsque, justement, ces facteurs s'estompent ou disparaissent. Mais voici quelques trucs qui aident néanmoins à régler les problèmes respiratoires.

- Respirez profondément plusieurs fois d'affilée, calmement, pour éviter que votre système répande trop de cortisol et d'adrénaline dans votre sang, ce qui vous empêchera de subir un stress trop intense qui peut contribuer à provoquer ce genre de problème.

- Lorsque vous allez en forêt, en saison des bourgeons, cueillez quelques bourgeons de pin – ils dégagent une odeur caractéristique, très forte, car ils contiennent de l'essence de térébenthine. Une fois à la maison, faites-les sécher, puis faites-en infuser une petite poignée dans 1 litre d'eau pendant une heure. Portez ensuite à ébullition et laissez bouillir pendant deux minutes. Retirez du feu, laissez reposer pendant 10 minutes, puis refroidir. Buvez-en trois ou quatre tasses par jour jusqu'à ce que vos difficultés respiratoires disparaissent.
- L'art de la conversation ne devrait jamais se perdre ! Avoir une conversation avec quelqu'un ou lire des textes à haute voix sont d'excellents moyens d'exercer sa respiration et de la renforcer.
- Des carences en vitamines C et E dans le système peuvent affaiblir vos poumons ; même si vous n'êtes pas fumeur, ceux-ci pourraient être endommagés comme si vous aviez fumé un paquet par jour durant 10 ans !

Rétention d'eau

- Faites macérer 5 ml de graines de cerfeuil dans 250 ml de vin blanc pour obtenir un diurétique efficace.
- Faites mijoter, pendant une vingtaine de minutes, 40 g de feuilles ou de rave de céleri dans 1 litre d'eau. Filtrez et buvez chaud après avoir aromatisé la décoction à votre convenance avec un peu de miel, de sucre ou de jus de citron.
- Portez à ébullition une demi-botte d'aneth dans 750 ml d'eau. Réduisez le feu et laissez réduire la décoction jusqu'à l'obtention d'un mélange épais. Filtrez et buvez le liquide ainsi obtenu une fois par jour.

- Faites mijoter 250 ml de cresson haché, une gousse d'ail, deux oignons et un navet coupé pendant une demi-heure dans 1 litre d'eau froide. Filtrez. Buvez quotidiennement de quatre à six verres de cette décoction.
- Pour obtenir un diurétique efficace, faites mijoter 20 g de feuilles de chou dans 500 ml d'eau pendant une trentaine de minutes, puis filtrez. Buvez-en une demi-tasse par jour pendant sept jours.
- Faites macérer 250 g d'oignons hachés dans 1 litre de vin rouge pendant six heures. Filtrez et buvez-en un petit verre deux fois par jour.
- Pendant une dizaine de jours, faites macérer 250 g de racines d'artichaut. Filtrez, embouteillez et buvez-en 125 ml par jour.
- Pour obtenir un diurétique efficace, faites macérer 10 g de cerfeuil dans 500 ml d'eau pendant une dizaine de jours. Filtrez. Buvez-en une demi-tasse par jour pendant sept jours.
- Comme diurétique puissant, fabriquez-vous un sirop en ajoutant à 5 ml de miel deux ou trois gouttes d'huile essentielle de céleri. Ne consommez pas plus de deux fois par jour.

Rides

- Jetez 100 g de fleurs et de feuilles de romarin dans 250 ml d'eau bouillante, retirez du feu, couvrez et laissez infuser une vingtaine de minutes. Filtrez. Laissez tiédir, puis ajoutez cinq gouttes d'huile essentielle de romarin. Remuez bien. Trempez un linge dans la lotion et appliquez-le sur votre visage. Laissez agir une dizaine de minutes. Répétez deux ou trois fois par semaine.

- Brisez un jaune d'œuf à la fourchette et ajoutez-y 125 g de yogourt. Incorporez 15 ml de purée de fraises ou de framboises fraîches. Mélangez bien. Appliquez sur le visage et laissez agir une vingtaine de minutes. Rincez. Répétez deux fois par semaine, au coucher.

Ronflement

Essayez le remède suivant : versez sur un carré de coton quelques gouttes d'huile essentielle d'aneth et posez-le sur l'oreiller du ronfleur.

Sinusite

Voici quelques trucs pour dégager les sinus.

- Mélangez 15 g d'ail cru pressé, 10 g de persil, 15 ml de miel liquide et 30 ml de jus de citron. Consommez le matin au lever. Répétez quotidiennement jus-qu'à ce que le problème soit résolu.
- Versez une goutte de jus de carotte dans chaque narine et, le soir, une goutte de jus de citron. Répétez quotidiennement jusqu'à ce que le problème soit résolu.
- Coupez une gousse d'ail en petits morceaux, versez 15 ml de vinaigre de cidre et 500 ml d'eau bouillante dans un récipient. Faites des inhalations pendant cinq minutes, la tête penchée sur le récipient, recouverte d'une serviette épaisse. Procédez ainsi une fois par jour.

Taches de son

Pour faire disparaître les taches de son dues au vieillissement, faites cuire une demi-tasse de cresson, pendant deux minutes, dans un minimum d'eau. Passez ensuite le tout au mélangeur en y ajoutant 15 ml de miel de fleur (si cela est trop liquide, épaississez avec un peu d'argile). Appliquez sur le visage. Laissez agir une vingtaine de minutes avant de rincer.

Toux

La toux est provoquée par l'irritation des voies aériennes ou des organes du cou, du thorax et de l'abdomen qui se trouvent sur le trajet du nerf pneumogastrique. Celui-ci transmet une stimulation au centre de commande de la toux situé dans le bulbe du cerveau, au-dessus de la moelle épinière.

- Mettez quelques rondelles de raifort dans une passoire (avec un bol en dessous, bien sûr) et arrosez-les d'un peu de miel ou de sucre afin de les faire dégorger. Le liquide exprimé par ce procédé est un puissant sirop contre la toux, efficace également pour lutter contre presque tous les types d'affections des voies respiratoires.

- Lorsque la gorge vous pique et que vous sentez venir une toux, préparez-vous une tisane à l'aneth : jetez 5 ml d'aneth dans 250 ml d'eau que vous avez fait bouillir et laissez reposer environ cinq minutes. Vous pouvez aussi y ajouter un peu de miel pour en atténuer le goût. Buvez-en trois tasses par jour.

- Ouvrez six dattes et faites-les bouillir dans 500 ml de lait à feu doux pendant 25 minutes. Buvez-en trois verres par jour.

- Creusez une cavité dans un navet et remplissez-la de sucre. Le sirop qui se forme après quelques heures seulement est très efficace pour lutter contre les affections pulmonaires diverses, particulièrement les toux persistantes.

- Pour atténuer une toux forte, épluchez et amincissez de six à huit gousses d'ail. Mélangez-les à 250 ml de miel pur et faites chauffer doucement ce mélange pendant une quinzaine de minutes. Laissez refroidir. Prenez de cinq à six cuillerées tout au long de la journée.

- Épluchez cinq oignons, faites-les cuire et pressez-les pour en extraire le jus. Buvez-en de deux à trois tasses par jour.

- Buvez un bol de lait chaud auquel vous aurez ajouté 30 ml de miel.

- Faites bouillir quelques oignons, une branche de thym et un peu de sucre (pour le goût) pendant une bonne heure. Avalez cette mixture trois fois par jour.

- Faites une préparation avec 45 ml de miel, une gousse d'ail hachée, une rondelle d'oignon hachée et un petit radis coupé en morceaux. Laissez reposer quelques heures. Avant d'avaler, ajoutez quelques gouttes de jus de citron.

- Coupez une carotte en rondelles fines et placez les morceaux dans une assiette avec de la cassonade. Ajoutez un tout petit peu d'eau. Faites ensuite chauffer doucement pendant une à deux heures. Après ce délai, récupérez le jus qui s'est formé dans le fond de l'assiette et avalez-en une cuillerée quatre ou cinq fois par jour.

- Dans un chaudron, portez 500 ml d'eau à ébullition et jetez-y 75 g de feuilles de thym. Laissez infuser de 15 à 20 minutes, filtrez, puis remettez dans le chaudron. Ajoutez ensuite 450 g de sucre brun ou de miel et faites mijoter, à feu doux, jusqu'à l'obtention d'une consistance sirupeuse, ce qui devrait prendre environ une heure. Utilisez comme antitussif en prenant 15 ml de ce sirop toutes les quatre heures ou lors de quintes de toux.

- Voici la recette d'un remède-bonbon à faire prendre à un enfant réfractaire au sirop traditionnel. Vous n'avez qu'à verser, sur un carré de sucre, deux gouttes d'extrait pur d'oignon et l'offrir à l'enfant. Vous pouvez également présenter cet antitussif dans 15 ml de miel plutôt que sur un carré de sucre. Cela dit, ce sirop est également efficace, bien sûr, pour les adultes.

- Pour aider à prévenir la toux durant le sommeil, buvez du lait chaud ou une eau chaude sucrée à laquelle vous aurez ajouté quelques gouttes de jus de citron.

Ulcères buccaux

- Pour soulager les ulcères ou autres infections de la bouche ou du larynx, gargarisez-vous avec cette infusion de basilic : 5 ml de basilic séché (ou 15 ml de basilic frais) dans 125 ml d'eau bouillante.
- Gargarisez-vous tout simplement avec du jus de céleri pur auquel vous pouvez, si vous le désirez, ajouter une ou deux gouttes d'huile essentielle de céleri ou de citron.
- Pour apaiser la douleur et empêcher l'infection, mettez un peu d'alun sur l'ulcère. Répétez tant que nécessaire.
- Appliquez un sachet de thé noir humide directement sur l'ulcère. Répétez aussi longtemps que nécessaire.
- Ajoutez 5 ml de peroxyde d'hydrogène à 250 ml d'eau tiède et rincez-vous la bouche trois ou quatre fois par jour avec cette solution jusqu'à la guérison.

- Ajoutez 10 g de bicarbonate de sodium à 250 ml d'eau chaude et rincez-vous la bouche trois ou quatre fois par jour avec cette solution jusqu'à la guérison.
- Contre les ulcères buccaux, rien de tel qu'un gargarisme fait d'eau tiède et de quelques gouttes d'huile essentielle d'orange. Répétez plusieurs fois par jour.

Ulcère d'estomac

L'estomac produit des sucs gastriques pour dégrader ce que nous mangeons. Pour protéger le reste du corps de ceux-ci, l'estomac est recouvert d'une couche très épaisse. Mais lorsque cette paroi ne se régénère pas comme elle le devrait, les sucs causent une lésion qui devient, en bout de ligne, ce qu'on appelle un ulcère. Voici quelques trucs de grands-mères qui vous guériront ou atténueront la douleur provoquée par les ulcères.

- Le poivre de Cayenne est reconnu comme l'une des épices les plus efficaces lorsqu'on parle de guérir un ulcère. Comme elle est très forte, il faudra vous y habituer, mais son efficacité vous convaincra d'oser. Commencez graduellement par une pincée de poivre de Cayenne dans un verre d'eau, deux fois par jour pendant trois jours ; augmentez ensuite à deux pincées dans un verre d'eau, toujours deux fois par jour et pendant encore trois jours.
- Préparez-vous une demi-tasse de jus de chou, avec une centrifugeuse, et buvez-en une demi-tasse avant chaque repas et avant de vous coucher. Comme il n'est pas recommandé de conserver ce jus, ne préparez que la quantité nécessaire pour chaque jour.
- Passez au robot culinaire trois ou quatre pommes de terre moyennes épluchées et ajoutez 15 ml de miel liquide. Avalez 15 ml de cette mixture trois ou quatre fois par jour pendant un mois.

Varices

Mélangez 125 ml de vinaigre de cidre à 250 ml d'huile d'olive. Ajoutez 75 ml d'eau tiède. Imbibez un linge et appliquez sur la zone affectée pendant une trentaine de minutes. Répétez autant de fois que nécessaire.

Vers/parasites intestinaux

- Pour vous débarrasser de vers intestinaux, essayez le vermifuge que voici: ne consommez que 450 g de fraises, du lever jusqu'à l'heure du repas du midi.
- Pour vous débarrasser de vers intestinaux, râpez quatre ou cinq gousses d'ail et faites-les macérer dans 1 litre d'eau ou de lait pendant toute une nuit. Filtrez et buvez le lendemain matin, à jeun. Continuez la cure pendant trois à quatre semaines pour des résultats durables.

- Pour chasser les vers intestinaux, faites mijoter 250 ml d'oignons hachés dans 500 ml de lait pendant une dizaine de minutes ; filtrez. Buvez à jeun le matin.
- Pour chasser les vers intestinaux, buvez simplement 60 ml de jus de ciboulette tous les matins, à jeun.
- Pour vous débarrasser des vers et autres parasites intestinaux, faites une décoction de graines de semence de chou. Filtrez la boisson et buvez, à jeun, tous les matins et plusieurs fois par jour jusqu'à la guérison.
- Dans un chaudron, versez 250 ml d'eau, 250 ml de vinaigre et 30 ml de miel. Faites bouillir avec 12 gousses d'ail pelées et coupées en deux pendant une dizaine de minutes. Laissez ensuite tiédir et buvez à raison d'une demi-tasse, trois fois par jour.
- Pour bénéficier des propriétés vermifuges de la pomme de terre, il faut consommer, jusqu'à la guérison et en exclusivité, de la salade de pommes de terre additionnée d'huile d'olive, tous les soirs en guise de souper.
- Faites macérer 500 ml d'oignons hachés et six gousses d'ail pelées et coupées en deux dans 1 litre de vin rouge, pendant 24 heures. Filtrez et buvez une demi-tasse de ce vin, trois fois par jour, jusqu'à la guérison.
- Contre le ténia (ver solitaire), râpez une grosse gousse d'ail pelée et faites-en une décoction en faisant mijoter l'ail pendant 20 minutes dans 250 ml de lait. Buvez cette boisson tous les matins, à jeun, jusqu'à l'expulsion du parasite. Ne consommez aucun aliment avant midi.

Verrue

La verrue est une petite bosse rugueuse, bien délimitée, qui se forme dans l'épiderme, la couche externe de la peau. Elle peut atteindre jusqu'à 1 cm de diamètre. Elle résulte d'une infection causée par un virus de la famille des papillomavirus humains (VPH) et peut être contagieuse. Le virus s'introduit sous la peau par une petite coupure ou une blessure, parfois si petite qu'elle peut être invisible à l'œil nu, et entraîne alors l'infection. Si le virus n'est pas neutralisé par le système immunitaire, il déclenche une multiplication des cellules à un endroit bien précis. Si les verrues se retrouvent le plus souvent sur les doigts ou les pieds, on peut aussi en voir sur le visage, le dos ou d'autres parties du corps. Elles apparaissent isolément ou en mosaïque, c'est-à-dire sous forme de plusieurs petites verrues regroupées.

- Trempez une pelure de citron dans du vinaigre blanc pendant six heures, puis appliquez ce morceau de citron directement sur votre verrue, laquelle disparaîtra très rapidement.

- Faites bouillir quelques œufs, puis récupérez l'eau de cuisson. Dès qu'elle s'est refroidie, imbibez-en un tampon et faites-en une compresse que vous appliquerez sur la verrue. Répétez cette opération chaque jour jusqu'à la disparition de la verrue.

- Faites macérer, durant une dizaine de jours, quatre citrons coupés en tranches dans 1 litre de vinaigre blanc. Chassez verrues, cors et durillons en les massant et en les frictionnant avec cette potion.

- Versez du cidre de pomme sur la verrue, puis avant qu'il sèche, mettez un peu de bicarbonate de sodium. Chaque jour, à raison d'environ six fois par jour, répétez cette opération.

- Dans 500 ml de vinaigre de cidre de pomme, faites macérer deux poireaux coupés pendant 24 heures. Filtrez ; utilisez les poireaux en cataplasme et le liquide en application locale (friction ferme) sur les verrues.
- Coupez une petite rondelle dans une gousse d'ail et appliquez-la sur la verrue. Maintenez en place avec un pansement. Renouvelez matin et soir jusqu'à ce que la callosité se détache.
- Pour faire disparaître une verrue, placez un gros morceau d'oignon pelé sur la verrue, puis gardez-le en place à l'aide d'une gaze ou d'un bandage. Répétez pendant quatre jours, en prenant soin de changer le morceau d'oignon deux fois par jour.
- Dans 1 litre de vinaigre blanc, faites macérer quatre citrons coupés pendant 10 jours. Utilisez cette potion pour masser et frictionner les verrues.
- Les verrues disparaîtront rapidement si vous les badigeonnez d'eau mélangée de bicarbonate de sodium à raison de deux fois par jour, pendant une semaine.
- Vous pouvez vous débarrasser des verrues en prenant des bains de pieds dans du jus de citron pur deux fois par jour, pendant environ 10 jours.
- Recouvrez la verrue d'une couche de vernis à ongles ; comme cela l'empêche de respirer, elle disparaîtra rapidement.

Visage [soins du]

- Pour combattre la peau grasse, brisez un jaune d'œuf à la fourchette, puis ajoutez-y le jus d'un demi-citron et 5 ml d'huile d'olive. Battez bien. Incorporez juste assez d'argile pour faire une pâte onctueuse. Appliquez sur le visage et laissez agir une vingtaine de minutes. Rincez ensuite avec une eau claire. Répétez deux fois par semaine, au coucher.

- Pour combattre la peau grasse, râpez finement un concombre, mettez-le dans un bol en verre, recouvrez-le d'alcool et réfrigérez pendant trois heures. Filtrez, ajoutez quatre gouttes d'huile essentielle de citron et 5 ml d'huile d'olive. Mélangez bien, puis étalez entre deux morceaux de gaze. Appliquez sur le visage et laissez agir une vingtaine de minutes. Rincez ensuite avec une eau claire. Répétez deux fois par semaine, au coucher.

- Pour combattre la peau sèche, écrasez une banane en purée, puis versez quatre gouttes d'huile essentielle de mandarine et 5 ml d'huile d'olive. Mélangez bien, puis étalez la préparation entre deux morceaux de gaze. Appliquez sur le visage et laissez agir une vingtaine de minutes. Rincez ensuite avec une eau claire. Répétez deux fois par semaine, au coucher.

- Pour combattre la peau sèche, battez un blanc d'œuf en neige. Ajoutez-y ensuite 15 ml de jus de pamplemousse et quatre gouttes d'huile essentielle, préalablement diluées dans 5 ml d'huile d'amande douce. Étalez cette préparation entre deux morceaux de gaze. Appliquez sur le visage et laissez agir une vingtaine de minutes. Rincez ensuite avec une eau claire. Répétez deux fois par semaine, au coucher.

- Pour garder la peau du visage saine, brisez un jaune d'œuf à la fourchette, puis ajoutez-y, en remuant, 5 ml de miel liquide et 5 ml d'huile d'olive. Amalgamez le tout avec 5 g de farine de seigle. Appliquez sur le visage et laissez agir une vingtaine de minutes. Rincez ensuite avec une eau claire. Répétez deux fois par semaine, au coucher.

Yeux [problèmes d']

Les problèmes reliés aux yeux, aussi insignifiants soient-ils, sont toujours très désagréables ; aussi cherchons-nous à les régler le plus rapidement possible. Voici quelques conseils et trucs pour des problèmes communs. Lorsque c'est plus sérieux, nous vous conseillons de consulter rapidement votre médecin ou votre optométriste.

- Si vous avez les yeux fatigués, préparez une infusion avec 50 g de fleurs de camomille dans 500 ml d'eau. Laissez tiédir. Ajoutez ensuite 75 ml de jus de persil frais à l'infusion. Faites une compresse imbibée de ce mélange, puis appliquez-la sur les yeux pendant une dizaine de minutes.

- Si vous avez les yeux gonflés, allongez-vous, puis appliquez un glaçon sur chaque œil pendant au moins cinq minutes. Vos yeux dégonfleront très rapidement.

- Si vous avez les yeux gonflés ou enflés, faites infuser cinq ou six fleurs de camomille dans 250 ml d'eau bouillante pendant environ 10 minutes. Laissez refroidir, filtrez. Mouillez des tampons de coton avec cette préparation et appliquez-les en compresse sur les yeux pendant une dizaine de minutes.

- Si vous êtes victime d'une inflammation des paupières, préparez une infusion avec 30 g de fleurs séchées de violette dans 1 litre d'eau. Faites bouillir pendant 10 minutes, laissez tiédir et imbibez une compresse que vous appliquerez sur les paupières gonflées pendant une dizaine de minutes. Répétez plusieurs fois par jour.

- Portez à ébullition 1 litre d'eau froide additionnée de 125 ml de basilic frais. Réduisez le feu et laissez mijoter à feu doux pendant 20 minutes. Filtrez et utilisez en compresse sur les yeux. Répétez plusieurs fois par jour.

- Lorsqu'un orgelet vous fait souffrir, rien de plus simple que ce truc. Prenez un bijou en or, puis frottez-le doucement sur l'orgelet. Cela devrait le guérir très rapidement.

- Un autre moyen de guérir rapidement un orgelet consiste à appliquer une compresse d'amidon sur l'œil.

- Appliquez un peu de gel d'aloès sur votre orgelet quatre ou cinq fois par jour.

Index

A

Abcès, 9
Acné, 10
Aigreurs [d'estomac], 13
Allaitement, 14
Allergies, 14
Allergies saisonnières, 15
Ampoule, 16
Amygdalite, 18
Anémie, 19
Angine, 19
Angoisse [crise d'], 20
Arthrite et rhumatisme, 20
Arthrose, 23
Asthme, 24

B

Ballonnement, 26
Blessure, 27
Bouffée de chaleur, 27
Bouton, 27
Bouton de fièvre, 28
Bronchite, 28
Brûlure, 29

C

Callosité, 33
Calcul rénal, 33
Cheveux [perte des], 34
Cheveux [soins des], 35
Cholestérol, 37
Cicatrisation, 39
Clou, 39
Colique, 39
Congestion nasale, 40
Conjonctivite, 40
Constipation, 41
Cor/durillon, 45
Coup de soleil, 46
Coupure, 47
Crampe, 48

D

Démangeaison, 49
Dent, 50
Diarrhée, 51
Diarrhée du voyageur/tourista, 53
Digestion, 53
Dos [problèmes de], 55

E

Ecchymose/hématome, 58
Écharde, 61
Eczéma, 61
Élancement, 62
Engelure, 63
Entorse, 63

F

Fatigue, 64
Feu sauvage, 66
Fièvre, 66

G

Gaz, 67
Gerçures, 68
Gingivite, 68
Gorge, 68
Gorge [infection de la], 70
Gorge [obstruction de la], 70
Goutte, 71
Grippe, 71

H

Haleine [mauvaise], 73
Hémorroïdes, 74
Hoquet, 75

I

Infection urinaire, 76
Insomnie, 77

L

Libido, 79

M

Menstruations, 80
Migraine/mal de tête, 81

N

Nausée, 83
Névralgie, 83
Nez [saignement de], 84

O

Odeur corporelle, 85
Ongles, 88
Ongle incarné, 89
Oreille [problèmes d'], 89
Otite, 91

P

Peau [soins de la], 92
Peau [infection de la], 93
Pellicules, 93
Pieds, 95
Piqûre d'insecte, 97
Plaie, 98
Points noirs, 99
Pression artérielle, 99

R

Refroidissement, 101
Respiration [problèmes de], 101
Rétention d'eau, 102
Rides, 103
Ronflement, 104

S

Sinusite, 105

T

Taches de son, 106
Toux, 106

U

Ulcères buccaux, 109
Ulcère d'estomac, 110

V

Varices, 111
Vers/parasites intestinaux, 111
Verrue, 113
Visage [soins du], 114

Y

Yeux [problèmes d'], 116